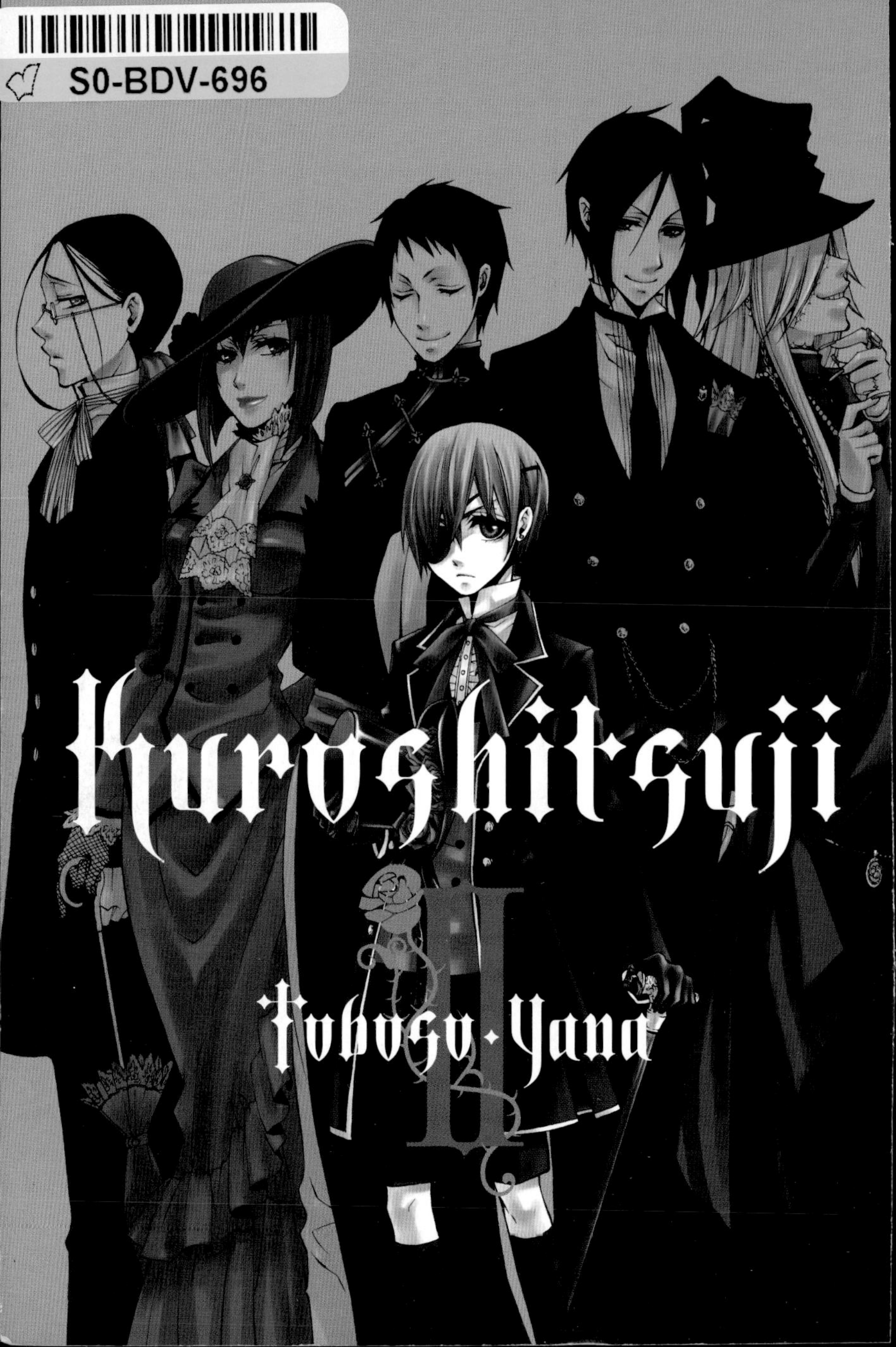
Kuroshitsuji
II
Toboso Yana

Contents

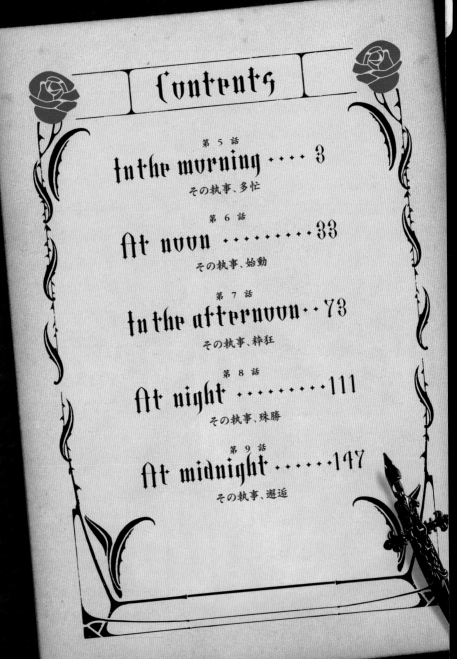

In the morning《第5話》：その執事《しつじ》、多忙《たぼう》

執事《しつじ》の朝《あさ》は早《はや》い
夜《よる》は誰《だれ》より遅《おそ》く仕事《しごと》を終《お》え朝《あさ》は誰《だれ》より早《はや》く仕事《しごと》を始《はじ》める
それが屋敷《やしき》を一切《いっさい》仕切《しき》る執事《しつじ》の勤《つと》めである
随分《ずいぶん》髪《かみ》が伸《の》びてきましたねぇ…
…嗚呼《ああ》 勝手《かって》に縮《ちぢ》めてはいけないんでした
サラ
人間《にんげん》というのはどうにも面倒《めんどう》だ

さて 参《まい》りますか
まず始《はじ》めに 使用人《しようにん》に一日《いちにち》の 仕事《しごと》の指示《しじ》を 出《だ》す
カツ
ガチャ
お早《はよ》うございます 皆《みな》さん
そろそろ 始業時間《しぎょうじかん》ですよ
おはようございまーす!
ウィース
メイリンは リネンの整備《せいび》を
フィニは 庭《にわ》の木《き》の 手入《てい》れを
バルドは 昼食《ちゅうしょく》の準備《じゅんび》を お願《ねが》いします
ハーイ
ウース
ハイ
ほっほっほっ
タナカさんは お茶でも 飲んでて下さい

さ 分《わ》かったら早《はや》く持《も》ち場《ば》へ行《い》きなさい！
ボサッとしない！
使用人達《しようにんたち》を送《おく》り出《だ》したら
次《つぎ》は当主《とうしゅ》の起床《きしょう》に備《そな》えて目覚《めざ》めの紅茶《アーリーモーニングティー》と朝食《ちょうしょく》の準備《じゅんび》を
コン コンッ
失礼《しつれい》します
坊《ぼっ》ちゃん お早《はよ》うございます
ガ
チャ…
お目覚《めざ》めの時間《じかん》です
本日《ほんじつ》は良《よ》い お天気《てんき》ですよ
まぶし…
……

我《わ》が屋敷《やしき》の主人《しゅじん》
シエル・ファントムハイヴ伯爵《はくしゃく》は
12歳《さい》にして広大《こうだい》な領地《りょうち》を
治《おさ》める当主《とうしゅ》である
コポポ…
それと同時《どうじ》に
玩具《がんぐ》・製菓《せいか》メーカー
「ファントム社《しゃ》」の社長《しゃちょう》
としての顔《かお》も持《も》ち
狡賢《ずるがしこ》い才能溢《さいのうあふ》れる
経営方法《けいえいほうほう》であっという間《ま》に
「ファントム社《しゃ》」を巨大企業《きょだいカンパニー》に
成長《せいちょう》させた
くあっ
今日《きょう》は
アッサムか
流石《さすが》でございますね
坊《ぼっ》ちゃん
アッサムで良《よ》い茶葉《ちゃば》が仕上《しあ》がったと
耳《みみ》に挟《はさ》みましたので現地《げんち》から
取《と》り寄《よ》せました
バサッ
THE
そういえば
バートン伯《はく》の養護院《ようごいん》の
子供達《こどもたち》を屋敷《やしき》に招《まね》く
ことになった
カチャ

貴族《きぞく》の富《とみ》は社会《しゃかい》に貢献《こうけん》する為《ため》にある
その有《あ》り余《あま》る財《ざい》を使《つか》い民《たみ》に施《ほどこ》しを行《おこな》うのだ
名門《めいもん》たるファントムハイヴ家《け》も例外《れいがい》なく社会《しゃかい》への奉仕活動《ほうしかつどう》を行《おこな》っている
それは良《よ》いお考《かんが》えですね
何日《いっ》になさるのです？
明日《あした》。
明日？
このガ…坊《ぼっ》ちゃん
私《わたし》にまかせておけば何《なん》でもかんでも何《なん》とかなると思《おも》ってませんか？
いい加減《かげん》人《ひと》(?)使《づか》いが荒《あら》すぎます
親に何か買わせたいなら子供からと言うしな。
了解致《りょうかいいた》しました
ニコ
どんな小《ちい》さなお客様《きゃくさま》にもファントムハイヴの名《な》に恥《は》じぬ最高《さいこう》のおもてなしを
そうそう…
先日注文《せんじつちゅうもん》した※ヘレンドのシノワズリーのティーセットが届《とど》きましたよ
カチャ

※ヘレンド社の中国風柄磁器の総称

ですから
本日《ほんじつ》の午後の紅茶《アフタヌーンティー》は
キーマン茶《ちゃ》に
ベリーも入《はい》ってきましたので
おやつはカラントとベリーで
サマープディングにしようと
思《おも》うのですが
いかがですか？
まかせる
了解致《りょうかいいた》しました
キゅっ
では私《わたし》は早速《さっそく》
明日《あした》の準備《じゅんび》に
取《と》りかかります
ん
さて
ここからが
私《わたし》の仕事《しごと》の
本番《ほんばん》です
パタン…
バッ
ギュッ
キュッ
それじゃあ
始《はじ》めますか
パンッ

上質《じょうしつ》のクーベルチュールのダークとミルクを細《こま》かく刻《きざ》み混《ま》ぜ合《あ》わせ60℃の湯《ゆ》せんで溶《と》かす
次《つぎ》に沸騰《ふっとう》させ粗熱《あらねつ》をとったら生《なま》クリームを加《くわ》え
混《ま》ぜながら冷《さ》まし人肌程《ひとはだほど》になったらコアントローを加《くわ》える
今度《こんど》はそれを型《かた》に流《なが》し込《こ》み
ギャーッ
…!?
何事《なにごと》です？
→ローンドリ・ルーム(洗濯部屋)

メイリン？
一体《いったい》どうしました…
セバスチャンさああああん!!
!!?
何事《なにごと》ですこの泡《あわ》は!?
あわあわ
この洗剤《せんざい》っ説明書《せつめいしょ》通《どお》り
スプーンXXX(30)杯《ばい》いれたのにおかしいですだよ〜〜〜
メイリン
おおお〜
これはXXX《30》杯《ぱい》ではなくIII《3》杯《ぱい》です
ガビーン!!
えっ!!?

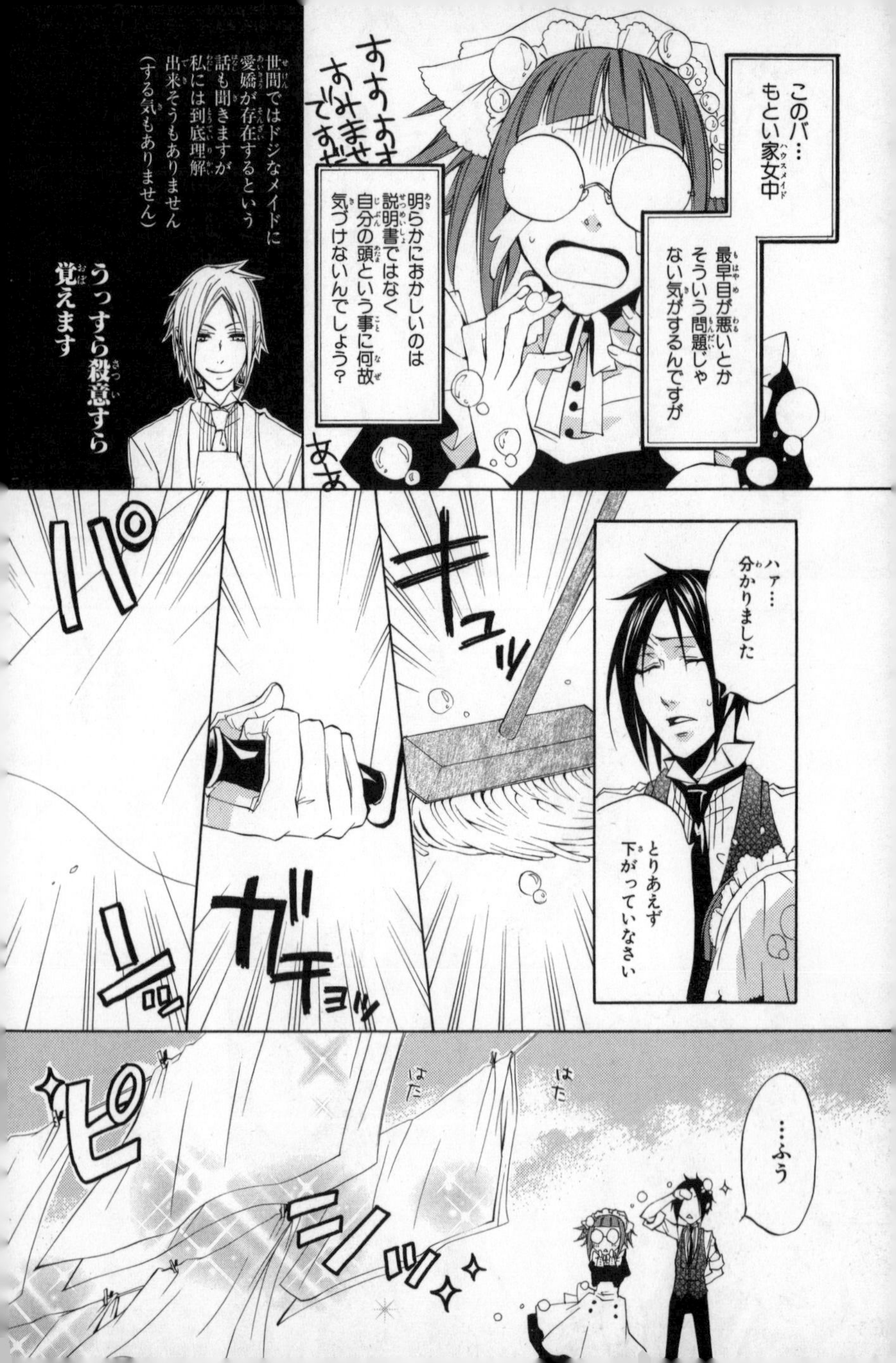
このバ…もとい家女中《ハウスメイド》
最早目《もはやめ》が悪《わる》いとかそういう問題《もんだい》じゃない気《き》がするんですが
すすすす
すみませ
ですぜ
明《あき》らかにおかしいのは説明書《せつめいしょ》ではなく自分《じぶん》の頭《あたま》という事《こと》に何故《なぜ》気《き》づけないんでしょう？
ああ
世間《せけん》ではドジなメイドに愛嬌《あいきょう》が存在《そんざい》するという話《はなし》も聞《き》きますが私《わたし》には到底理解《とうていりかい》出来《でき》そうもありません（する気《き》もありません）
うっすら殺意《さつい》すら覚《おぼ》えます
ハァ…分《わ》かりました
とりあえず下《さ》がっていなさい
キュッ
ガチョッ
パーンッ
…ふう
はた
はた
ピシッ

では私《わたし》は仕事《しごと》が
残《のこ》っていますので
これで
ぽー
貴方《あなた》も仕事《しごと》に戻《もど》りなさい
まったく…
スタ
この時間《じかん》のない時《とき》に…
スタ
バタム
さて次《つぎ》は…
フライパンにバターと水《みず》を入《い》れ沸騰《ふっとう》させ
火《ひ》を止《と》めたら小麦粉《こむぎこ》とベーキングパウダーをふるい入《い》れる
木《き》べらで手早《てばや》くまぜたら再《ふたた》び弱火《よわび》
ドカッー

!?
今度《こんど》は何《なん》です!?
プス
プス…
シュウウウ
やー母国《じもと》から新兵器《しんへいき》を取《と》り寄《よ》せてみたんだが
こりゃ使《つか》えねェな
ったく!
ラムのラベンダー焼《や》きにそんな火力《かりょく》はいらないでしょう…
まずそれは調理器具なんですか?
脱力
こまけぇこと言《い》うねィ!!
料理《りょうり》ってのァ芸術《げいじゅつ》だ!!
ゴオオォ
はぁ
芸術《げいじゅつ》ってのァ爆発《ばくはつ》だろイ

このバ…もとい料理人《シェフ》
料理《りょうり》を語《かた》るのは一度《いちど》でいいから「料理《りょうり》」を作《つく》ってからにして頂《いただ》きたいですね
料理ってその
セバス
貴方《あなた》の作《つく》った物《もの》の8割《わり》が炭《すみ》だと思《おも》うのですが
※2割は有害物質
芸術的《げいじゅつてき》なのはその頭《あたま》だけにして食《た》べられる物《もの》を作《つく》って下《くだ》さい…でなければ
貴方《あなた》も炭《すみ》になればいいと思《おも》います
ハア…仕方《しかた》ありません
挽《ひ》き肉《にく》と野菜《やさい》は無事《ぶじ》な様《よう》なのでコレで何《なん》とかしましょう
トトトトト
トトトトト
ザザッ
ぐつぐつぐつ
…ふう
お一っ
ジャーーン!
本日のランチ
ロールキャベツと
ポテト・ミントサラダ

とりあえずこれでいいでしょう
イエッサー!!
後片付《あとかたづ》けはおまかせしますよ
まったく!
スタ
仕事《しごと》が進《すす》まないじゃないですか!
スタ
スタ
バタン!
さっさと仕上《しあ》げてしまいましょう
どさっ
どーん!
天板《てんばん》にブラウンシュガーを広《ひろ》げ130℃《ど》のオーブンに
うわーんっ
ザバァッ
…今度《こんど》は貴方《あなた》ですか…
ぶえええー!!
ズーーん
うわーん!! セバスチャンさあああん!!
幼児ですかあなたは
泣《な》いていては分《わ》からないでしょう
どうしたんです?
ぶえええ

……
ヒョオオ
オ
オ、、
ヒュオォオォオ‥
枝《えだ》を切《き》りそろえようと思《おも》ったんですけど…
この芝生《しばふ》は…
しお
しお…
こないだから除草剤《じょそうざい》の散布機《さんぷき》壊《こわ》れてるの忘《わす》れてて!!
うわーーん
ごめんなさーーい!!!
第1話
しぴ
↑除草剤

ぶえーーん
このバ…
バカ!!
庭師《にわし》のくせに不器用《ぶきよう》なのはどういう事《こと》でしょうか
うえーー ごめんなさーーい
馬鹿《ばか》とハサミは使《つか》いようと言《い》いますが馬鹿《ばか》にハサミを持《も》たせるのも問題《もんだい》ですね
大体《だいたい》「こないだ」というか2・3日前《にちまえ》の事《こと》だと思《おも》うのですがあれ程《ほど》の失敗《しっぱい》をあっさり忘却《ぼうきゃく》できるその脳《のう》ミソに
怒《いか》りを通《とお》り越《こ》して感動《かんどう》を覚《おぼ》えます
ハァァ…
ここまできたら私《わたし》にはどうしようもありません
ポケットマネー→
植木屋《うえきや》で木《き》を買《か》っていらっしゃい…
どういう木《き》を買《か》ってきたらいいですか？
庭師《にわし》は貴方《あなた》です庭《にわ》をデザインするのも貴方《あなた》の仕事《しごと》
貴方《あなた》がいいと思《おも》ったものを買《か》いなさい
ピクッ
えっ じゃあじゃあ
合体《がったい》ロボみたく格好《カッコ》イイ庭《にわ》にしたいですっ!!
いいですか!?
パァァァ。
電波
ロボ？
私《わたし》も大分《だいぶ》長《なが》い間《あいだ》生《い》きてきましたが宇宙人《うちゅうじん》に出会《であ》ったのは初《はじ》めてです
その輝《かがや》く笑顔《えがお》は私《わたし》にどういう切《き》り返《かえ》しを期待《きたい》しているのでしょう？

セバスチャンさん？
はっ！
坊《ぼっ》ちゃんに怒《おこ》られるんで早《はや》くお金《かね》くださーーい☆
んっ♡
もーっぼーっとしてちゃダメですよう♡
コイツウ～♡なんちゃって！
!!!!!
わーい
いってきまーす！
げっそり
↑抜け毛
もうつき合《あ》い切《き》れない
こんな時《とき》はそう…
彼女《かのじょ》に会《あ》いたい

しなやかな身体《からだ》
流《なが》れる黒髪《くろかみ》
琥珀《こはく》に煌《きらめ》く
気《き》の強《つよ》そうな瞳《ひとみ》
ザァ
早《はや》く…
彼女《かのじょ》の待《ま》つ
あの場所《ばしょ》へ
バァン!!
ハァ…
そう…
ニャーーーン
彼女《かのじょ》の
パアッ……
ニャ?

ほらほら
そんなに慌《あわ》てなくてもたくさんありますから…
猫《ねこ》はいい
無駄《むだ》な事《こと》をしゃべらないし(しないし)
はぎゃ はぎゃ
ぼろぼろ
何《なに》よりかわいい
私《わたし》の世界《せかい》にはないものです
あちらにも愛玩動物《あいがんどうぶつ》というものは存在《そんざい》しますが…
ニャーン?
あれはいただけない。
ナイナイ
?

ぷにゅ。
にゅっ
嗚呼《ああ》…貴女《あなた》の手《て》はやわらかいですね…
ふにふにふにふにふにふに
ミャ〜ン
いつまでもこうしていたい…
ニャ?
ですが私《わたし》はもう行《い》かなくては
また明日《あした》お待《ま》ちしていますよ
ニャーン
パタン…。。
やれやれ

ふう。
散々邪魔《さんざんじゃま》されましたが…こんなものですかねぇ
ドドドド
バターン
セバスチャンさぁぁあん!!
はい?
今度《こんど》は何《なん》です?

すっごーーい!!
チョコだーー!!
オメーは仕事《しごと》をオレらに任《まか》せてこんなことしてたのか
任せて?
これ全部《ぜんぶ》お菓子《かし》ですだか!?
明日《あした》は子供《こども》を屋敷《やしき》に招《まね》くそうなので
子供達《こどもたち》へのおもてなしです
ガキ相手《あいて》に大《おお》がかりな…
スゲーなおい
さすがセバスチャンさんっ
でも
?
これって一体《いったい》なんの像《ぞう》ですか?
???
何《なに》って貴方《あなた》の好《す》きな暴《あば》れん坊伯《ぼうはく》しゃ…
!!?

首《くび》が…
ない!!!
私《わたし》が綿密《めんみつ》に型《かた》どりした伯爵《はくしゃく》の首《くび》が…!!
ギッ
ビクッ
おいおい オレ達《たち》は今《いま》まで仕事《しごと》してたじゃねーか!
そうですだよ ワタシ達《たち》に伯爵《はくしゃく》の首盗《くびぬす》むのはムリですだ!
コクコクコク
という事《こと》は…

タナカ（さん）あ゛あ゛あ゛!!!
フォーーッ
ホッホッホ
ゆ
チョコ
!
はッ
ドドド
いけない！ 午後の紅茶《アフタヌーンティー》の時間《じかん》です
私《わたし》は準備《じゅんび》をしますので 皆《みな》さんは引《ひ》き続《つづ》き 全力《ぜんりょく》でタナカさんを 捜《さが》し出《だ》して下《くだ》さい！
ぱちん！
イエッサーーー!!
ガラガラ
使用人達《役立たず共》だけでは 不安《ふあん》です さっさと戻《もど》らねば
ガラガラ
コンコンッ
ガチャ
失礼《しつれい》します
ギャャ

スカー
スー
スー
まったく…
この方《かた》は…
脱力。
ZZZ
パタン…
くー
かー
窓《まど》も開《あ》けたままで…
私《わたし》がいるからといって無防備《むぼうび》すぎではありませんか？
どうしようもない使用人《しようにん》
わがままな主人《しゅじん》
執事《しつじ》も楽《らく》じゃない

けれどこの生活《せいかつ》も
そう悪《わる》くはないと
思《おも》えるのは…
坊《ぼっ》ちゃん！起《お》きなさい
つまみ食《ぐ》いはいけないとあれ程《ほど》申《もう》し上《あ》げたでしょう！
ギーーっーっーっーっ〜っ
っ!!?
その頃《ころ》
いたか!? さがせー!!
ほっほっほっ

黒執事《クロシツジ》

どど
坊《ぼっ》ちゃん本日《ほんじつ》もお手紙《てがみ》が届《とど》いておりますよ
さっ
もう社交期《シーズン》も終《お》わると言《い》うのに暇人共《ひまじんども》め
くだらない舞踏会《ぶとうかい》に夜遊《よあそ》びの相手《あいて》捜《さが》し…ロンドンはロクなことがない
うんざり。
ワーウィック伯爵《はくしゃく》バース男爵《だんしゃく》ガートランド伯爵夫人《はくしゃくふじん》…
ぽい
お断りリスト
ぽい
ぴたっ
これは…

第6話

At noon：その執事《しつじ》、始動《しどう》

英国《イギリス》の夏《なつ》は短《みじか》い
最《もっと》も気候《きこう》の良《よ》い5月《がつ》～8月《がつ》は「社交期《シーズン》」と呼《よ》ばれ
地方《ちほう》の屋敷《マナーハウス》から貴族達《きぞくたち》はこぞってロンドンの町屋敷《タウンハウス》へ社交《しゃこう》に精《せい》を出《だ》す
ガシャッ
坊《ぼっ》ちゃんが町屋敷《タウンハウス》へいらっしゃるのは久《ひさ》しぶりですね

〝あの手紙《てがみ》〟さえなければ誰《だれ》が…
人《ひと》が多《おお》すぎて満足《まんぞく》に歩《ある》けもしない
たまにはお屋敷《やしき》を離《はな》れるのもいい気分転換《きぶんてんかん》かもしれませんよ
あの4人《にん》もいないことですし静《しず》かに過《す》ごせそうじゃありませんか
お留守番チーム。
行っちゃイヤー!
ほっほっほっ
おみやげ買って来いヨ
ガキャッ!
ムスッ

ごっちゃあ〜
まったくこの家《いえ》はドコにお茶《ちゃ》しまってんのかしら
見《み》あたらないねぇー
そんなトコにあるわけないでしょアハハ
いやけっこうある
静かに過ごせそうじゃありませ
か
ガラ!!ガラ
マダム・レッド!? 劉《ラウ》!?
何故《なぜ》ここに…
あらっ 早《はや》かったじゃない

可愛《かわい》い甥《おい》っ子《こ》がロンドンに来《く》るっていうから顔《かお》を見《み》に来《き》てあげたんじゃない
元《もと》バーネット男爵夫人《だんしゃくふじん》
アンジェリーナ・ダレス
(通称《つうしょう》マダム・レッド)
王立《おうりつ》ロンドン病院勤務《びょういんきんむ》
やあ伯爵《はくしゃく》
我《わたし》は何《なに》か面白《おもしろ》そうなことがあると風《かぜ》の噂《うわさ》で聞《き》いたものでね
劉《ラウ》
中国貿易会社《ちゅうごくぼうえきかいしゃ》「崑崙《コンロン》」
英国支店長《えいこくしてんちょう》
これはこれはお客様《きゃくさま》をお迎《むか》えもせず申《もう》し分《わ》けありません
一番やっかいな奴らが来た…
すぐお茶《イレブンジーズ》の用意《ようい》を致《いた》しますので少々《しょうしょう》お待《ま》ち下《くだ》さい
いい香《かお》りだ
淹《い》れ方《かた》がいいと格別《かくべつ》だね
本日《ほんじつ》はジャクソンの「アールグレイ」をご用意《ようい》致《いた》しました

同《おな》じアールグレイでも違《ちが》うモンねぇ〜
グレルもちょっとは見習《みなら》いなさいよ
は…はぁ…
バーネット邸《てい》 執事《しつじ》
グレル・サトクリフ
それにしても…
何度《なんど》見《み》てもあんたイイ男《おとこ》ねー
田舎《マナーハウス》仕《づか》えなんか辞《や》めてウチに来《き》なさいよ!
ビクッ
ぐふふ…
ナデリ
!!
…
ゴホン!!
マダム・レッド…
あっごめん思わず♥
ここからが本題《ほんだい》だが…
数日前《すうじつまえ》ホワイトチャペルで娼婦《しょうふ》の殺人事件《さつじんじけん》があった
何日《なんにち》か前《まえ》から新聞《しんぶん》が騒《さわ》いでるヤツよね?
知《し》ってるわ
だけど…あんたが動《うご》くってことは何《なに》かあるんでしょう

そうだ ただの殺人《さつじん》ではない
猟奇的《りょうきてき》…いや 最早《もはや》異常《いじょう》といっていい それが〝彼女《かのじょ》〟の悩《なや》みのタネというわけだ
被害者《ひがいしゃ》の娼婦《しょうふ》 メアリ・アン・ニコルズは
どういうこと?
何《なに》か特殊《とくしゅ》な刃物《はもの》で 原形《げんけい》も留《とど》めない程《ほど》 滅茶苦茶《めちゃくちゃ》に切《き》り裂《さ》かれて いたそうです
市警《シティヤード》や 娼婦達《しょうふたち》は 犯人《はんにん》をこう 呼《よ》んでいる そうだ
切り裂きジャック《ジャック・ザ・リッパー》

僕《ぼく》も早《はや》く状況《じょうきょう》を確認《かくにん》せねばと思《おも》い急《いそ》ぎロンドンへ来《き》たというわけだ
ふ…
女王《じょおう》の番犬《ばんけん》が何《なに》を嗅《か》ぎつけるのか
我《わたし》もとても興味深《きょうみぶか》いな
…だけど
君《きみ》にあの現場《げんば》を見《み》る勇気《ゆうき》があるのかい？
…どういう意味《いみ》だ
現場《げんば》に充満《じゅうまん》する闇《やみ》と獣《けもの》の匂《にお》いが同《おな》じ業《ごう》の者《もの》を蝕《むしば》む
足《あし》を踏《ふ》み入《い》れれば狂気《きょうき》に囚《とら》われてしまうかもしれないよ
ギしっ
スッ…

その覚悟《かくご》は
あるのかい？
ファントムハイヴ伯爵《はくしゃく》
僕《ぼく》は〝彼女《かのじょ》〟の憂《うれ》いを掃《はら》うためここに来《き》た
くだらない質問《しつもん》をするな
——いいね
いい目《め》だ

そうと決《き》まれば
直《す》ぐに行《い》こうじゃ
ないか伯爵《はくしゃく》!!
ちょっと!!
ったく!!
男《おとこ》ってのはせっかちね!
お茶《ちゃ》くらいゆっくり
飲《の》みなさいよ
私《わたし》も
行《い》くわ
現場《げんば》ってドコ
なのよ劉《ラウ》
知《し》らない
のかい?
マダム
なーんだーぁ
じゃあ
そのへんの人《ひと》に
聞《き》いてみないと
ダメじゃないか
ヤレヤレ。
アンタ今《いま》まで
知《し》らないで
しゃべってたワケ!?
あの長い
前フリは
何だったんだ
落《お》ちつけ
ぎゃい
ぎゃい
誰《だれ》も現場《げんば》に
行《い》くとは言《い》って
ない
ハァ
え?

どうせすでにヤジ馬《うま》だらけでろくに調《しら》べもできんだろう
僕《ぼく》が行《い》けば警察《ヤード》もいい顔《かお》をせんだろうしな
じゃあどーすんのよ
伯爵《はくしゃく》…まさか…
そのまさかだ
僕《ぼく》もできるなら避《さ》けたい道《みち》だがやむをえん
ハァ…
こういう事件《じけん》に奴《やつ》ほど確《たし》かな情報《じょうほう》を持《も》ってる奴《やつ》はいないからな
——で

Undertaker
ここどこ?
あんたさっき知《し》ってる風《ふう》だったわよね!?
坊《ぼっ》ちゃんのお知《し》り合《あ》いが経営《けいえい》なさってる葬儀屋《アンダーテイカー》さんですよ
葬儀屋《アンダーテイカー》?
いるか
葬儀屋《アンダーテイカー》
……ヒッヒ…
そろそろ…来《く》る頃《ころ》だと思《おも》ってたよ…

よう～～こそ
伯爵《はくしゃく》・・・
やっと小生《しょうせい》特製《とくせい》の棺《ひつぎ》に
入《はい》ってくれる気《き》に
なったのかい・・・！
↑腰がぬけた
そんなワケ
あるか
今日《きょう》は・・・
ピトッ
言《い》わなくていい
伯爵《はくしゃく》が何《なに》を
言《い》いたいのか
小生《しょうせい》にはちゃ～～～んと
わかっているよ
葬儀屋《アンダーテイカー》

ああいうのは「表《おもて》の人間《にんげん》」向《む》きの「お客《きゃく》」じゃない
小生《しょうせい》がね キレイにして あげたのさ
…その話《はなし》が聞《き》きたい
そのへん…?
じゃあ話《はなし》をしよう お茶《ちゃ》でも出《だ》すよ
そのへんに座《すわ》っててもらえるかい?
――さて
聞《き》きたいのは切《き》り裂《さ》きジャックのことだろう?
今頃《いまごろ》になってヤードは騒《さわ》いでいるけれど…
←お茶
小生《しょうせい》がああいうお客《きゃく》を相手《あいて》にしたのは今回《こんかい》が初《はじ》めてじゃないよ
!!
ビーカー…
↑クッキー

初《はじ》めてじゃない？
どういうこと？
昔《むかし》から何件《なんけん》かあったんだよ
娼婦殺《しょうふごろ》しが
たべる？
いらん。
ただどんどん手口《てぐち》がハデで残酷《ざんこく》になってる
最初《さいしょ》はそんなにスプラッタじゃなかったから警察《ヤード》も気《き》づいてなかったけど
共通点《きょうつうてん》？
…ですか？
ホワイトチャペルで殺《ころ》された娼婦《しょうふ》には皆共通点《みぃんなきょうつうてん》がある
さてねぇなんだろう
ニヤ
なんだろうなぁ
ニヤ
かぽっ
気《き》になるねぇ…

成程《なるほど》ね
そういうことか
葬儀屋《そうぎや》は「表《おもて》の仕事《しごと》」という訳《わけ》ね
いくらなんだい？その情報《じょうほう》は
ピクッ
いくら？
ずずずいっ
小生《しょうせい》は女王《じょおう》のコインなんかこれっぽっちも欲《ほ》しくないのさ
ぐりん
さあ伯爵《はくしゃく》…
ハァ ハァ
小生《しょうせい》にあれをおくれ…
極上《ごくじょう》の「笑《わら》い」を小生《しょうせい》におくれ…!!
ああ
ハァ ハァ ハァ
そうしたらどんなことでも教《おし》えてあげるよ…!!
なんでやねんっ
おあとがよろしいようで

あぁ～
変人《へんじん》め
ハア
いいよ★～
…
← 否定はしない。
ふー
伯爵《はくしゃく》
カルン…
そういうことなら
我《わたし》にまかせなさい
上海《シャンハイ》では
新年会《しんねんかい》の眠《ねむ》れる虎《とら》と
呼《よ》ばれた我《わたし》の真髄《しんずい》
とくとごらんあれ!!
ジャーン
ふとんが
ふっとんだ
…あれ?
…
…
…
しーん
だらしないわね
劉《ラウ》…
カルン…
仕方《しかた》ない
おくさまあぁ
社交界《しゃこうかい》の花形《はながた》
このマダム・レッドが
とっておきの話《はなし》を
聞《き》かせてあげるわ!!
ああ～

でゅしっ
そいつったら[redacted]《ビーッ》が[redacted]《ビーッ》だったの!!
下《しも》ネタ
さらに[redacted]《バキューン☆》が[redacted]《ブーッ》だったワケ!
ガハハハ
みみせん
しーん…
できぁ[redacted]《ピー》が[redacted]《ピー》で
ガハハハ
ピー
ピー
1時間後《じかんご》
さて残《のこ》すは伯爵《はくしゃく》のみだよ
ブー
ブー
前回《ぜんかい》はチョットおまけしてあげたけど…今回《こんかい》はサービスしないよ
ぐ…
くそ…
スッ
ザッ
仕方《しかた》ありませんね
セバスチャン!?

へぇ…今回《こんかい》は執事君《しつじくん》が何《なに》かしてくれるのかい？
みなさんどうぞ外《そと》へ
セ…セバスチャン
ギラリ
絶対《ぜったい》に中《なか》を覗《のぞ》いてはなりませんよ…
ぱたむ。
しーん
ガタッ
ビクッ
ヒィ
もうやめ
ギャー

ガチャッ
どうぞ
お入《はい》り下《くだ》さい
お話《はな》して頂《いただ》ける様《よう》です
ブフォッ…
ピクッ
ピクッ
さて…話《はなし》の続《つづ》きだね
ぐふっ…
小生は理想郷を見たよ…
何したんだ…
いえ大した事は。
ふぉ…
ぐへへ…
なんでも教《おし》えてあげるよ…
昔《むかし》からねぇ
ちょくちょくいるんだよ
足《た》りない・・・・
…足《た》りない・・・?
お客《きゃく》さんがね
ぐふっ
そう
足《た》りないのさ

臓器《ぞうき》
がね
お客《きゃく》さんには
棺《ベッド》で眠《ねむ》る前《まえ》にキレイになってもらわないとだろう？
はみだしたもの しまったりさ。
ふき
ふき
その時《とき》にちょっとだけ検死《いじ》らさせてもらうのが小生《しょうせい》の趣味《しゅみ》でねぇ
!!
皆《みいんな》腎臓《じんぞう》が片方《かたほう》ないとかそういうことかい？
だとすると犯人《はんにん》は金融業《きんゆうぎょう》とか…
ジンゾーでもカンゾーでも
売り払って金作らない

窟《あなぐら》に住《す》む中国人《ちゅうごくじん》は考《かんが》えが物騒《ぶっそう》だねえ
そういうことじゃない
それは娼婦《しょうふ》…女《おんな》の子《こ》じゃなきゃ持《も》ってないもの
この子も ないねぇ
おお コワイ コワイ
ムッ
子宮《しきゅう》がね
ないんだよ
！
最近急《さいきんきゅう》にそういう「お客《きゃく》」さんが増《ふ》えてねぇ
しかもどんどん血化粧《メイク》は派手《はで》になる
小生《しょうせい》も大忙《おおいそが》しってワケ
いくら人通《ひとどお》りが少《すく》ないとはいえ路上《ろじょう》で…しかも真夜中《まよなか》となると
的確《てきかく》にその部位《ぶい》を切除《せつじょ》するのは素人《しろうと》には難《むずか》しいのでは？
鋭《するど》いね執事君《しつじくん》小生《しょうせい》もそう考《かんが》えてるんだ

そうだなぁ まず… 鋭《するど》いエモノで 首《くび》をかき切《き》り
ズシ
次《つぎ》に腹《ここ》を 切《き》り裂《さ》いて
たいせつなものを 奪《うば》うのさ
「手際《てぎわ》の良《よ》さ」 …それから
「ためらいのなさ」 から考《かんが》えて まず素人《しろうと》じゃないね
多分《たぶん》 「裏《うら》の人間《にんげん》」だ
伯爵《はくしゃく》が来《く》るって わかってたのは そういうことさ

犯人《はんにん》が「裏《うら》の人間《にんげん》」の可能性《かのうせい》があるなら
必《かなら》ず君《きみ》が此処《ここ》へ召喚《しょうかん》されると思《おも》った
きっとまた殺《ころ》されるよ
ああいうのはね誰《だれ》かが止《と》めるまで止《と》まらないものさ
止《と》められるかい？
「悪《あく》の貴族《きぞく》」ファントムハイヴ伯爵《はくしゃく》
裏社会《うらしゃかい》には裏社会《うらしゃかい》のルールがある
理由《りゆう》なく表《おもて》の人間《にんげん》を殺《あや》めず
裏《うら》の力《ちから》を以《もっ》て侵略《しんりゃく》しない

女王《じょおう》の庭《にわ》を穢《けが》す者《もの》は
我《わ》が紋《もん》にかけて例外《れいがい》なく排除《はいじょ》する
どんな手段《しゅだん》を使《つか》ってもだ
邪魔《じゃま》したな
葬儀屋《アンダーテイカー》

ガラ
ガラ
ガラガラ
ガラ
ガラ
ガラ
ガラ
さっきの話《はなし》で大分《だいぶ》絞《しぼ》れるな
そうですね…まず「医学《いがく》・解剖学《かいぼうがく》に精通《せいつう》する者《もの》」
その中《なか》で「事件発覚前夜《じけんはっかくぜんや》にアリバイのない者《もの》」
ELOHEM
そして臓器《ぞうき》などを持《も》ち去《さ》っていることから儀式性《ぎしきせい》…「秘密結社《ひみつけっしゃ》や黒魔術《くろまじゅつ》に関《かか》わる者《もの》」も挙《あ》げられます
ちょっと…どこが絞《しぼ》れてんのよ
この社交期《シーズン》に一体《いったい》どれだけの人《ひと》が首都《ロンドン》に集《あつ》まってると思《おも》うの!?

ロンドンの医者《いしゃ》だけじゃなくて貴族《きぞく》が地方《ちほう》から連《つ》れて来《き》た主治医《しゅじい》もいんのよ？
ついでに医者《いしゃ》になってない医大卒業生《いだいそつぎょうせい》だっているし
劉《ラウ》みたく鍼《はり》を使《つか》う渡来人《とらいじん》だって人体《じんたい》には詳《くわ》しいわ
それにあと1週間《しゅうかん》もしないうちに社交期《シーズン》が終《お》わって　主治医《しゅじい》は地方《ちほう》に戻《もど》ってしま
ではそれまでに調《しら》べれば良《よ》いのです
なんだって…？
社交期《シーズン》が終《お》わる前《まえ》に全《すべ》ての人物《じんぶつ》を尋《たず》ねアリバイを確認《かくにん》すれば済《す》む話《はなし》です
確認《かくにん》すれば済《す》むって…まだ正確《せいかく》な数《かず》もわかってないのよ!?
おまかせ下《くだ》さい

ファントムハイヴ家《け》の執事《しつじ》たる者《もの》
それくらい出来《でき》なくてどうします？
ぽかーん
では早速《さっそく》容疑者名簿《ようぎしゃめいぼ》を作《つく》り全《すべ》ての人物《じんぶつ》をあたってみようと思《おも》います
えっちょ…
わっ
ばんっ

ガラガラガラ
グレルさんでしたっけ？
どうぞ安全運転《あんぜんうんてん》で屋敷《やしき》までよろしくお願《ねが》いします
えっ
あっハイ!?
あわあわ
ガラガラガラ
では失礼《しつれい》致《いた》します
あわわわ
ぱたん。
ちょっと!? この馬車《ばしゃ》走《はし》ってんのよ!?
こつぜん。
ガラガラガラ…

ぽっ
い…
いない…
ってあんたはちゃんと前見《まえみ》なさい!!
ぶつかるー!!
ガラガラガラ
あ
ハッハイ!!
すいませ…
ああ
ハァ…
セバスチャンはああ言《い》ったけど…
うちの執事《セバスチャン》がやると言《い》ったんだ
かならず何《なに》かつかんで帰《かえ》ってくるだろう
僕《ぼく》らは紅茶《こうちゃ》でも飲《の》みながら待《ま》っていればいい
えらい信頼《しんらい》してるのねぇ…
……
別《べつ》にそういう訳《わけ》じゃない
ただあいつは嘘《うそ》だけはつかない
絶対《ぜったい》に

——そう
彼《かれ》と伯爵《はくしゃく》の間《あいだ》には
長《なが》い時間《じかん》を共《とも》に
過《す》ごしてきた分《ぶん》
ゆるがぬものがあるのさ
いつでも彼《かれ》は
伯爵《はくしゃく》に
連《つ》れ添《そ》ってきた
まるで
影《かげ》のようにね
……
セバスチャンは
僕《ぼく》に仕《つか》えて
まだ2年《ねん》だが？
あ
そうだっけ？
短。
はーぁ
やっとついたねぇ
腰痛いよ〜
トントン
グレルが
道間違《みちまちが》えるから
エライ遠回《とおまわ》り
しちゃった
じゃない！
スイマセン
スイマセン

まあまあ
マダム・レッド
ずーん
午後の紅茶《アフタヌーンティー》でも
飲《の》んで一息《ひといき》
入《い》れようじゃない
…か…
お帰《かえ》りなさいませ
お待《ま》ちして
おりました
午後の紅茶《アフタヌーンティー》の
準備《じゅんび》ができて
おります
今日《きょう》のおやつは
洋梨《ようなし》とブラックベリーの
コーンミールケーキです
ん。
ちょっと…
あんたなんで
ココに!?
おやっ

え？
用事《ようじ》が済《す》みましたので先《さき》に戻《もど》らせて頂《いただ》いておりました
おやっ
おやっ
徒歩で!!?
用事《ようじ》って
もう名簿《めいぼ》が作《つく》れたの!?
いえ？
先程《さきほど》の条件《じょうけん》に基《もと》づいた全《すべ》ての方《かた》の名簿《めいぼ》を作《つく》り
全《すべ》ての方《かた》に直接《ちょくせつ》お話《はなし》を伺《うかが》って来《き》ただけですよ
ぽかん。
貴族《きぞく》の主治医《しゅじい》まで調《しら》べていたので少々《しょうしょう》時間《じかん》がかかりましたが
ちょっとセバスチャン…
そりゃあんたいくらなんでも無理《むり》が…

チェインバーズ伯爵家主治医《はくしゃくけしゅじい》
ウィリアム・サマセット
メアリ・アン・ニコルズ殺害時《さつがいじ》
ハーウッド伯爵主催《はくしゃくしゅさい》パーティーに出席《しゅっせき》にて
アリバイあり 秘密結社等《ひみつけっしゃなど》の関与《かんよ》なし
接触にてアリバイありウェール
ズでの会議《かいぎ》に出席《しゅっせき》しておりアリバイあり秘《ひ》密
の関与《かんよ》なしベィリー公爵家主治医《こうしゃくけしゅじい》リチャード・オズワ
ツ・パーク側《がわ》の「パブ・ホワイトホース」にて仲間《なかま》と過《す》ご
の密会《みっかい》アリバイあり王立《おうりつ》ロンドン中央病院外科《ちゅうおうびょういんげか》
・ハワードと商談《しょうだん》にてア
フッ

秘密結社等の関与なし
イントン伯爵家主治医《はくしゃくけしゅじい》ジョサイア・コンドル
ンシー・ビロウ殺害前日《さつがいぜんじつ》「パブ・テンフォックス」に
秘密結社等《ひみつけっしゃなど》の関与《かんよ》なしダーソントン男爵家主《だんしゃくけあるじ》デヴィ
なしロンドン王立大学付属病院外科医《おうりつだいがくふぞくびょういんげかい》サイモン・エ
の関与《かんよ》ありセント・トーマス病院内科医《びょういんないかい》オー
その両親《りょうしん》と外食《がいしょく》をしており
バイあり秘密結社等の関与
バート公爵主治医《こうしゃくしゅじい》ニコラス・アンソニー メ
イあり秘密結社《ひみつけっしゃ》の関与《かんよ》あり王立《おうりつ》ロンドン中央病院内《ちゅうおうびょういんない》科
外科医《げかい》アダム・ヘイヴィット アンナ・ハーバー殺害時《さつがいじ》ヘン
時《じ》スティプル・インにてボーイと接触《せっしょく》にてアリバイあり秘
ール・ウェリントンメアリ・アン・ニコルズ殺害時家《さつがいじかぞく》
秘密結社関与《ひみつけっしゃかんよ》なしラセルズ公爵家主治医《こうしゃくけしゅじい》
秘密結社等《ひみつけっしゃなど》の関与《かんよ》なし
以上《いじょう》の調査結果《ちょうさけっか》により――
ズルッ

条件《じょうけん》を満《み》たす人間《にんげん》はただ一人《ひとり》にまで絞《しぼ》り込《こ》めました
ははっ
一体《いったい》どんな手《て》を使《つか》ったのよセバスチャン？
あんた本当《ほんとう》にただの執事《しつじ》？
※O《オー》・H《エイチ》・M《エム》・S《エス》・S《エス》・とかなんじゃないの？
詳《くわ》しいお話《はなし》はお茶《ちゃ》にしてからに致《いた》しましょう
…いいえ
私《わたし》は――
あくまで
執事《しつじ》ですから
※On Her Majesty's Secret Service：女王陛下秘密情報部

黒執事《クロシツジ》

第7話
In the afternoon：その執《しつ》事《じ》、粋《すい》狂《きょう》

「医学《いがく》・解剖学《かいぼうがく》に精通《せいつう》する者《もの》」
「事件発覚前夜《じけんはっかくぜんや》にアリバイのない者《もの》」
そして「秘密結社《ひみつけっしゃ》や黒魔術《くろまじゅつ》に関《かか》わりがある者《もの》」この条件《じょうけん》を満《み》たしているのはただ一人《ひとり》
ドルイット子爵《ししゃく》アレイスト・チェンバー様《さま》だけです
医大《いだい》は卒業《そつぎょう》していますが病院《びょういん》への勤務《きんむ》や開業《かいぎょう》はしていません
社交期《シーズン》には何度《なんど》か自宅《じたく》でパーティーを催《もよお》しています…が
どうやら裏《うら》では彼《かれ》と親《した》しい者《もの》だけが参加《さんか》できる秘密《ひみつ》パーティーが催《もよお》されているという話《はなし》です

ドルイット子爵《ししゃく》か…
バラなんとかとか
黄金のなんとかとか…
そういえば黒魔術《くろまじゅつ》みたいのにハマってるって噂《うわさ》は聞《き》いたことあるわね
つまりその「裏《うら》パーティー」で儀式的《ぎしきてき》なことが行《おこな》われていて
娼婦達《しょうふたち》が供物《くもつ》にされてる疑《うたが》いがあるってことか
ええ
本日《ほんじつ》も19時《じ》よりドルイット子爵邸《ししゃくてい》でパーティーが行《おこな》われます
もうすぐ社交期《シーズン》も終《お》わりますし
潜《もぐ》り込《こ》めるチャンスは今夜《こんや》が最後《さいご》と思《おも》っていいでしょう

マダム・レッド
カチャ
そう・・・いうわけだ
なんとかなるか
舐《な》めないでくれるかしら?
私《わたし》結構《けっこう》モテるのよ
招待《しょうたい》の一《ひと》つや二《ふた》つどうにでもしてあげるわ
決定《きまり》だな
なんとしてもその「裏《うら》パーティー」に潜《もぐ》り込《こ》むんだ
ファントムハイヴの名《な》は一切《いっさい》出《だ》さないこと
取《と》り逃《にが》すことになりかねん

チャンスは一《いち》度《ど》きりだ！
ザワ
ザワ…
ザワ
ザワ
割《わり》と盛大《せいだい》ねぇ
やっぱり今夜《こんや》が今年《ことし》の社交期《シーズン》最後《さいご》なのかしら
ザワ
楽《たの》しい夜《よる》になりそうじゃないか
ザワ…
一《いち》度《ど》警戒《けいかい》されれば終《お》わりだ
いいか

遊《あそ》びに来《き》ている
訳《わけ》じゃない
気《き》を抜《ぬ》くな!
わかってるわよーーぅ!
ぎゅーっ
んもーっ
かわいいわねっ
離《はな》せッ!!
ぎゅ~っ
ぎゅ~っ
なんで僕《ぼく》がこんな格好《かっこう》を…

え——？
なによ
気《き》に入《い》らなかったの？
モスリンたっぷり
フランス製《せい》ドレス
ぶーぶー
流行のドレスなのよ？
気《き》に入《い》るかッ!!
おやおや
レディがそんな
大声《おおごえ》を出《だ》すものでは
ありませんよ
カチャ
セバスチャン…
貴様《きさま》
そーよー
設定通《せっていどお》り
ちゃんとやって
くれなきゃ…
クスッ
劉《ラウ》は私《わたし》の
若《わか》い燕役《つばめやく》
シエルは田舎《いなか》から
出《で》てきた私《わたし》の
姪《めい》っ子《こ》役《やく》
セバスチャンは
その姪《めい》っ子《こ》の
家庭教師《チューター》役《やく》
アイジンでーす
ムスッ
おくさまああああ
ガーン
あああー
グレルは
いつも通《どお》りだけど

だからっ…
なんで僕《ぼく》が「姪《めい》っ子《こ》」役《やく》なんだ！
私《わたし》 女《おんな》の子《こ》が欲《ほ》しかったのよね！
フワッフワなドレスの似合《にあ》う可愛《かわい》い子《こ》！
キャはっ
お…おくさま 私は…
ゴゴゴゴ
そんな理由《りゆう》で…!?
ってのはまあ冗談《じょうだん》として
慣れないと
ヒソ ヒソ ヒソ
ファントムハイヴってバレたらマズいんでしょ？
あの…私にも…
第一《だいいち》！
身《み》なりのいい執事《しつじ》連《つ》れた隻眼《せきがん》の少年《しょうねん》だなんて見《み》る人《ひと》が見《み》りゃすぐアンタだってバレるわよ！
私ですか？
!!!
それ・が・一番《いちばん》いい変装《へんそう》じゃない
ずーん

それにドルイット子爵《ししゃく》って
守備範囲《しゅびはんい》バリ広《ひろ》の
女好《おんなず》きらしいから
そっちの方《ほう》が都合《つごう》いいって！
ネッ☆
なっ…!?
はっはっはっ 伯爵に手を出すのは犯罪じゃないかなぁ
仰《おっしゃ》っていたじゃないですか
″どんな手段《しゅだん》でも使《つか》う″んでしょう?
ぬううう
ニコ
では参《まい》りましょうか
お嬢様《じょうさま》

ガヤ
さて…
ハハハ…
ホホ…
ザワ
まずはドルイット子爵《ししゃく》を見《み》つけなくてはいけませんね
ギラ ギラ
ドルイット子爵《ししゃく》ってのはイイ男《おとこ》なのかしら
それによってヤル気《き》に差《さ》がでるわぁ〜!
輝いてるわ マダム!
ずーーん
苦《くる》しい
重《おも》い 服《ふく》が
痛《いた》い 足《あし》が
帰《かえ》りたい
オロ オロ
こんな姿《すがた》絶対《ぜったい》に婚約者《エリザベス》には見《み》られたくないな…
シエルったら
かわいーっ♡
でしょうね。
ザワ ザワ
きゃーっ そのドレスかわいーっ♡
あら ありがとう
いかん…幻聴《げんちょう》ま…で
そのヘッドドレスもステキーッ♡
あら そうかしら
ずーーん。

ばっ!!
ステキなドレスの人《ひと》がいーーっぱい♡
かわいーーっ♡
セッ…セセセセバスチャン（小声）
あた ふた あた ふた
きゃっ♡
きゃっ♡
坊《ぼっ》っ…お嬢様《じょうさま》落《お》ちついて下《くだ》さい（小声）
とりあえずあちらへ
あっ♡
ギクッ

あそこにいる子《こ》のドレスすっごくかわいーーっ♡
!!!!
早速!!
いけません お嬢様《じょうさま》
ザワ
ザワ
こちらへ!
ス
あら?
あの子《こ》どこ行《い》っちゃったのかしら?
キョロ
キョロ
…
キラ
キラ…
なんであいつ《エリザベス》が こんな所《ところ》にいるんだ! とにかくマダム達《たち》に…

オーホホホ
苦《くる》しゅうないわ〜〜〜♡
完全《かんぜん》にパーティー満喫《まんきつ》してやがる!!
まずいですね
まさか婚約者《エリザベス様》がいらしてるとは
いくら変装《へんそう》してたって
顔《かお》を合《あ》わせれば…
バレますね
あいつにバレたら調査《ちょうさ》どころじゃなくなるぞ!!
それどころか
ここにいる皆《みな》さんにお嬢様《じょうさま》が「坊《ぼっ》ちゃん」である事《こと》がバレるでしょうね
サー
……

当主《とうしゅ》がこんな格好《かっこう》してるなんてバレたらファントムハイヴ家《け》末代《まつだい》までの恥《はじ》だっ!!
うわあああっ
女王陛下に顔向けできないっっ
そんな大ゲサな
そんなことになるくらいなら死《し》んだ方《ほう》がまだマシだ!
とにかく絶対《ぜったい》に…
!
ドルイット子爵《ししゃく》は今日《きょう》も美《うつく》しくていらっしゃるわぁ
プラチナブロンドが金糸《きんし》のよう!
…あれが…
ドルイット子爵《ししゃく》…!!

結構《けっこう》お若《わか》いんですね…
挨拶《あいさつ》するフリして近《ちか》づくぞ
男《わたし》がいては警戒《けいかい》されやすいでしょうから私《わたし》はここで見《み》ています
教《おし》えた通《とお》りしっかり淑女《レディ》を演《えん》じて下《くだ》さいね
ヒソ
げんなり。
ヒソ
…わかってる
コツ…
ニコ…
こ…こんばんは
ドルイット子《し》しゃ
あ———っいた———っ♡
ドキ
!!
くそっ
ばっ

……？
あと少《すこ》しだったのに！
そこのあなた待《ま》ってー！
こちらです
お嬢様《じょうさま》
貴方《あなた》

あちらのレディにレモネードを
はい！
レモネードはいかがですか？
え？
スッ…
危《あぶ》なかったですね
何故《なぜ》僕《ぼく》ばかりこんな目《め》に…
ジャーン
!!
しまった…!!

広間《ひろま》がダンスフロアに…
子《し》爵《しゃく》に近《ちか》づけなくなりましたね
ステキー
…仕方《しかた》ありません
ダンスに紛《まぎ》れ子《し》爵《しゃく》の傍《そば》へ行《い》きましょう
教《おし》えた通《とお》り出《で》来《き》ますね？
!?
公《おおやけ》の場《ば》で僕《ぼく》に踊《おど》れと言《い》うのか!?
執事《おまえ》と!?
カツンッ
お忘《わす》れですか？

私《わたくし》は今《いま》はあくまで家庭教師《かていきょうし》ですから
今宵《こよい》だけは公《おおやけ》の場《ば》でお嬢様《じょうさま》とダンスを許《ゆる》される身分《みぶん》なのです
執事《使用人》としてではなく上流階級出身《じょうりゅうかいきゅうしゅっしん》の教師《きょうし》としてね
そ…そうだった…！
他《ほか》のペアにぶつからない様《よう》リードします
参《まい》りましょう

曲《きょく》を よく聴《き》いて
曲《きょく》に合《あ》わせて ステップを踏《ふ》んで くれれば私《わたし》が カバーします
もう二度《にど》と しないからな!
女の踊りなど!
クス
ええ こんな事《こと》は 今夜限《こんやかぎ》りですよ

ボソッ
そのまま
前《まえ》へ
突《つ》っ切《き》りますよ
やっとついたここ!!!
声にならない
ゼェ
ハァ
ゼェ
ハァ
だらしないですね
これしきの事《こと》で
今《いま》
水《みず》を——
ヨロッ
パチ
パチ
パチ…
素晴《すば》らしい

駒鳥《こまどり》のように
可愛《かわい》らしいダンス
でしたよ
ドルイット
子爵《ししゃく》!!
お嬢《じょう》さん
向《む》こうから
声《こえ》をかけて
くるとは…
スッ
お嬢様《じょうさま》
私《わたし》は何《なに》か
お飲《の》み物《もの》を

あ
えっと…
お褒《ほ》め頂《いただ》き
光栄《こうえい》ですわ
本日《ほんじつ》は誰《だれ》と
いらしたのかな
駒鳥《こまどり》さん？
ちゅ
じょわっ
トリハダ
アアンジェリーナ
叔母様《おばさま》に連《つ》れて来て
頂《いただ》きましたの
マダム・レッドの？
ふいてる
そうか…
楽《たの》しんで
頂《いただ》けてるかな？
素敵《すてき》なパーティーに
感動《かんどう》しています
…でも

ほう
はぁ
ダンスもお食事《しょくじ》も
飽《あ》き飽《あ》き
私《わたし》ずっと子爵《ししゃく》と
お話《はなし》したかったの
ニヤ…
スッ…
わがままな
お姫様《ひめさま》だね
駒鳥《こまどり》
!
ぞ
もっと楽《たの》しいことを
ご所望《しょもう》かい?
ススス…
おおおお
?
ガマンだ!!
ガマンしろ僕《ぼく》!!
本気で守備範囲広いんだな
この為《ため》だけに
僕《ぼく》はっ…

フィッティング
あんなことやこんなことまで
ウォーキング
したんじゃないか!!!
マナーレッスン
え…
ええ
子爵《ししゃく》はご存知《ぞんじ》?もっと楽《たの》しいこと…
ススス…
カオ近ッ
もちろん
君《きみ》になら教《おし》えてあげるよ可愛《かわい》い駒鳥《こまどり》…
ぐわあああああ
全《すべ》てが終《お》わったらすぐに始末《しまつ》してやるこの男《おとこ》!!

とにかくダンスが
終《お》わる前《まえ》になんとか
引《ひ》き出《だ》さないと…
楽《たの》しいことって？
ちらっ
じーーーっ
こっち
見《み》てる!!
じーーっ
知《し》りたい？
エリザベスが来《き》たら
すべてパァだ
とっても興味《きょうみ》ありますわ
早《はや》く
君《きみ》には少《すこ》し早《はや》いかもしれないよ
早《はや》く！
私《わたし》もう一人前《いちにんまえ》のレディなんですのよ

ジャーーーン♪
わあっ…
パチ
パチ
!
ダンスが終《お》わった!!
マダムに内緒《ないしょ》にできる?
パチ
パチ
パチ…
もったいぶるな!!
もちろん
できます…わ!
来《く》る
さっきから何《なに》を気《き》にしているのかな?
えっ!?
エリザベスが!!
あ
いや…
僕《ぼく》の一生《いっしょう》が終《お》わる!!
ドオオオン!!

ドン
セバスチャン!?
ざわ…
ざわ
ざわ…

宴《えん》も酣《たけなわ》
お集《あつ》まりの
紳士淑女《しんししゅくじょ》の皆様《みなさま》に
ここで一《ひと》つ
このクローゼットを
使《つか》った魔術《マジック》を
ご覧《らん》に入《い》れましょう
そこの貴方《あなた》…
ご協力願《きょうりょくねが》え
ますか？
我《わたし》かい？
いいとも
ニコ
ほえーーっ
この何《なん》の変哲《へんてつ》もない
クローゼット
今《いま》から私《わたくし》がこれに
入《はい》ります
手品《てじな》なんか
頼《たの》んだ覚《おぼ》えは
ないんだが…？
はっ！
？

子爵《ししゃく》
私《わたし》手品《てじな》も見飽《みあ》きてますの
きゃるん
今《いま》のうちだ！
だから…ね？
何が「ね？」だ。
仕方のない子だ！
わかったよ
私《わたし》の駒鳥《こまどり》
じょわっ
自分の行動に寒気
奥《おく》へどうぞ
！
…っ
ぎゅっ
貴方《あなた》は私《わたし》がクローゼットに入《はい》ったら
スッ…
しっかりと鎖《くさり》で封《ふう》をして下《くだ》さい
じゃら…

そしてこの剣《けん》で――
ガチャッ
クローゼットを串刺《くしざ》しにして下《くだ》さい
ザワ
ざわ
ザワ
私《わたし》は串刺《くしざ》しになったクローゼットから見事生還《みごとせいかん》してみせましょう
タネもしかけもございません
稀代《きだい》の魔術《まじゅつ》をご覧《らん》あれ
ザワ
ザワ

ゴホー!
じゃ
エンリョなく
スッ
ズドャオォン!!
ガビーン
いきなり脳《のう》天《てん》いった——!!?
破《は》アアアアア!!
ドドドド
喝《か》——ッ
ドドドド
ホアタァアアアアア!!
ドドドドド

びっしり
こんなもんかな
さて
彼《かれ》は無事《ぶじ》なんでありましょうか
本当《ほんとう》にエンリョねえ——!!!
じゃらっ
ギイッ
ごくりっ…
ジャーン
やあっ

わあああっ
すごい!!
奇跡《きせき》だ!!
ブラボー!!
ワー
パチ パチ パチ
パチ パチ
やんや やんや
キャー キャー
パチパチ…
すごいじゃない セバスチャン!
マダム
本当《ほんとう》だよ! 針山《はりやま》みたいだったのに
はっはっはっ
ちょっと殺っちゃったかもって思ってた!
パチ パチ
ふう…
さすがにちょっと痛《いた》かったですね
いきなり脳天《のうてん》からくるとは思《おも》いませんでした
私でなきゃ死んでましたよ
で一体《いったい》どういうしかけだったんだい?
あんた解《わか》ってないであんなに刺《さ》してたワケ!?
…
?
…言《い》ったでしょう

タネもしかけもございません
と
カツーン
ゃー ゃー…
なんだか広間《ひろま》が盛《も》り上《あ》がってますね
パチパチ…
何やってんだ？
ふ…
これから行《い》く所《ところ》はもっと楽《たの》しいいい所《ところ》だよ
なんだ？
ふうん。
この部屋《へや》のやけに甘《あま》ったるい匂《にお》いは…
いいと…
!?
ヨロッ
しまった!!
ギャッ
そう…
早《はや》く部屋《へや》から出《で》…

ズ
出《で》…
とてもいい所《ところ》だよ
駒鳥《こまどり》…

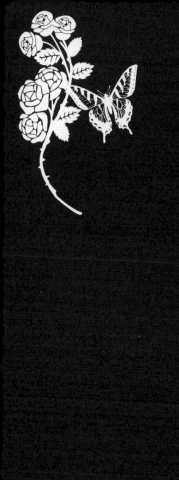

黒執事《クロシツジ》

第8話
At night: その執事《しつじ》、殊勝《しゅしょう》

はぁ
はぁ
ギシ…
セバ… セバスチャン…
はっ
はぁ
さあ 壁《かべ》に手《て》をついて
はぁ
もっと力《ちから》を抜《ぬ》いて下《くだ》さい
これ以上《いじょう》…っ ムリだ！
ギリ…
ギ…
はっ
グッ
ギリ…
…ないっ 苦《くる》…っ
ギ…
もう少《すこ》し我慢《がまん》して下《くだ》さい すぐ慣《な》れます
あっ で…
ギリッ…

出る《で》（内臓《ないぞう》が）って言《い》ってるだろう
ギゅうううう
コルセットで内臓が出た女性はいませんよ！
コルセット
がッ!!!!
ば
ゼーハー
夢《ゆめ》か…
！
ギギ
ギ…

暗《くら》い…
いや目隠《めかく》しか?
チッ
何《なに》かで拘束《こうそく》されてるな…
ただでさえ拘束具《コルセット》をさせられて苦《くる》しいのにさらに拘束《こうそく》か…
シエルッ
くびれがないッ!! イイ女の条件よ!
伯爵は男の子だからねぇ〜
はっはっはっ
ゲンナリ
あいつら人事《ひとごと》だと思《おも》って…
キョロ
とりあえずココはどこだ?
ざわ
…?
ざわ
人《ひと》の話声《はなしごえ》?
カン! カン!
ご静粛《せいしゅく》に お集《あつ》まりの皆様《みなさま》 次《つぎ》はお待《ま》ちかね 目玉商品《めだましょうひん》です
子爵《ししゃく》の声《こえ》!!
商品《しょうひん》? なんのことだ…?
ではご覧《らん》ください

ばサッ
ザ
ワッ
ザワ
ザワ…
鑑賞用《かんしょうよう》として楽《たの》しむも良《よ》し
愛玩《あいがん》するも良《よ》し
儀式用《ぎしきよう》にも映《は》える
でしょう
バラ売《う》りするのも
お客様《きゃくさま》次第《しだい》
なっ…

ここまでの商品《しょうひん》は なかなか手《て》に入《はい》りませんよ
瞳《ひとみ》の色《いろ》は美《うつく》しい 空《そら》を映《うつ》した海《うみ》と 深《ふか》き森《もり》のコントラスト
闇《やみ》オークションか!
只今《ただいま》お見《み》せいたしましょう
この男《おとこ》… 殺《ころ》した娼婦《しょうふ》の臓器《ぞうき》は ココで売《う》りさばいていた という訳《わけ》か…
スタートは1000から!
パラ…
2000!
3000!

スッ
―!
―!
さあもう次《つぎ》は
いらっしゃいませんか?
セバスチャン
僕《ぼく》はここだ
ふ
ふっ
フッ
!?
ざわ…
どよどよ…
なんだ!?

ぎゃッ
ゴッ
メリ
バキッ
ぐあ
ゴキッ
わあ
やれやれ
ボッ
ボボッ
本当《ほんとう》に捕《つか》まるしか
能《のう》がありませんね
貴方《あなた》は

呼《よ》べば私《わたし》が来《く》ると思《おも》って不用心《ぶようじん》すぎるのでは？
僕《ぼく》が契約書《けいやくしょ》を持《も》つ限《かぎ》り僕《ぼく》が喚《よ》ばずともお前《まえ》はどこにでも追《お》って来《く》るだろう？
……
「契約書《けいやくしょ》」は悪魔《あくま》が契約人《エモノ》を見失《みうしな》わぬ様《よう》につける「痕《しるし》」
……もちろん
「契約書《けいやくしょ》」は目《め》につく場所《ばしょ》にあればある程《ほど》強《つよ》い執行力《しっこうりょく》を持《も》つ
そのかわり

絶対《ぜったい》に悪魔《あくま》から逃《のが》れられなくなる
どこへでもお供《とも》します
最期《さいご》まで
たとえこの身《み》が滅《ほろ》びようとも私《わたし》は絶対《ぜったい》に貴方《あなた》のお傍《そば》を離《はな》れません
地獄《じごく》の果《は》てまでお供《とも》しましょう
ブツン
私《わたし》は嘘《うそ》は言《い》いませんよ
人間《にんげん》の様《よう》にね
…それでいい

お前《まえ》だけは僕《ぼく》に嘘《うそ》をつくな
絶対《ぜったい》に！
御意《イエス》ご主人様《マイロード》
——さて
すでに警察《ヤード》には連絡《れんらく》しておきました
じき到着《とうちゃく》するでしょう
なら長居《ながい》は無用《むよう》だな
僕《ぼく》らが居《い》ては猟犬共《ヤードども》もいい顔《かお》をしないだろう
そのお姿《すがた》ではなおさら…ですしね
プッ…
「お嬢様《じょうさま》」
クス…
そ…そうだった…!!

ゴホン！
とにかく！
切《き》り裂《さ》きジャック事件《じけん》はこれで解決《かいけつ》だ！
随分《ずいぶん》とあっけなかったがな…
ニコ
警部こちらです！
ガヤガヤ
！
どうやら警察《ヤード》が到着《とうちゃく》した様《よう》ですね
ふぁ!?
では参《まい》りましょう

タ
ンッ
今《いま》誰《だれ》か居《い》た気《き》がしたんだけど…
ごしごし
気《き》のせいかな？

切り裂きジャック《ジャック・ザ・リッパー》
再《ふたた》び現《あらわ》る！
of a victim is Anni
man.
as sacrificed 'ag
!!
たった一人《ひとり》の容疑者《ようぎしゃ》が殺人不可能《さつじんふかのう》となると…
模倣犯《もほうはん》…否《いや》最初《さいしょ》から複数犯《ふくすうはん》の可能性《かのうせい》もあるね
子爵《ししゃく》はハズレだったってこと？

Jack the Ripp
被害者《ひがいしゃ》はアニー・チャップマン
またしても娼婦《しょうふ》が犠牲《ぎせい》に
ばんッ
どういうことだ!?
子爵《ししゃく》は昨夜《さくや》どこにも行《い》っていなかった!
また振《ふ》り出《だ》しだ…
もう一度《いちど》絞《しぼ》り直《なお》すセバスチャンリストを
かしこまりました

カッ
ゴロゴロ…
ロンドンの人口《じんこう》だけで450万人《まんにん》
社交期《シーズン》にはもっと人《ひと》が増《ふ》える
条件《じょうけん》をゆるめただけで容疑者《ようぎしゃ》の人数《にんずう》はふくれ上《あ》がる
まだやってるの？
マダム・レッド
あんまり根《こん》つめてもイイことないわよ
息抜《いきぬ》きにコレやらない？

チェスセットか…懐《なつ》かしいな
でしょ?
シエルが来《く》るから物置《ものおき》から引《ひ》っ張《ぱ》り出《だ》しといたの
さっ休憩休憩《きゅうけいきゅうけい》!
どさーっ
あ
バサ バサ
書類が…
グレルはお茶《ちゃ》淹れて頂戴《ちょうだい》!
ハイ!!
ふう…
夜《よる》ですので…ローズヒップのハーブティーをご用意《ようい》しました

まず────い!!
ほっほっほっ
蘇る思い出。
…
塩…?
なんでハーブティーがしょっぱいのよ!!
あんたそれでも執事《しつじ》なの!?
やり直しッ
ハヒッ
これでも執事《しつじ》ですウウ!!
スイマセエエン!
ったく…
シャッ
カリ
カリカリカリ
ホントあんたトコの執事《しつじ》は有能《ゆうのう》っていうか働《はたら》き者《もの》っていうか…
カリカリ
カリカリ
カリカリ
別《べつ》に?
それ程《ほど》でもない
カリカリカリ
カリカリ
あんだけ有能《ゆうのう》なら子爵邸《ししゃくてい》の調査《ちょうさ》にしても全部《ぜんぶ》セバスチャンに任《まか》せておけばいいのに
コツーン

あれ・・は僕《ぼく》の「力《ちから》」そして「手《て》足《あし》」だ
セバスチャンは言《い》うなれば「駒《こま》」に過《す》ぎない
その「駒《こま》」を動《うご》かすのは「騎手《ぼく》」でなくてはならないし
「自動《じどう》で動《うご》く駒《こま》」で相手《あいて》に勝《か》ったとしてそれは「騎手《ぼく》」の功績《こうせき》になりはしないだろう
スッ
あっ…とられた…
いつでも命令《めいれい》を出《だ》すのは主《ぼく》で
命令《めいれい》がない限《かぎ》り動《うご》かないよう躾《しつけ》てある
だがセバスチャンがこの「駒《ナイト》」と違《ちが》うのは…

全《すべ》てのマスに一手《いって》で動《うご》ける「駒《ナイト》」と言《い》ったところか
こんな風《ふう》に
あっ
コンッ
そんなの反則《はんそく》じゃないの
もー
そうだ
それが「チェス《ゲーム》」ならな
だがこの世界《せかい》はルールに従《したが》わなくては勝《か》てないチェスの様《よう》には出来《でき》ていない
必《かなら》ず反則《はんそく》をする騎手《きしゅ》も
裏切《うらぎ》る駒《こま》も出《で》て来《く》る

そういうものと対等《たいとう》に
ゲームをしようと思《おも》ったら
僕《ぼく》も反則《はんそく》をしなくては
勝《か》てないだろう？
僕《ぼく》らの生《い》きる英国《チェスボード》の上《うえ》では
油断《ゆだん》をすればすぐに
終わり《チェックメイト》だ
ザァァ
…あんたには…
裏社会《うらしゃかい》の番犬《ばんけん》
以外《いがい》にも生《い》きていく
道《みち》があったはずだわ
きっと姉《ねえ》さん…
あんたの母《かあ》さんも
そう望《のぞ》んでたハズ
それなのに
裏社会《このせかい》に
戻《もど》って来《き》たのは
やっぱり…

殺《ころ》された姉《ねえ》さん達《たち》の仇《かたき》を討《う》とうとしているからなの？
ピクッ
……
ゴロゴロ…
きっとそんなこと姉《ねえ》さん達《たち》も…
私《わたし》やリジーだって望《のぞ》んでないわ
僕《ぼく》は
仇《かたき》を討《う》とうと思《おも》ったことなど一度《いちど》もない

仇《かたき》を討《う》ったとして死人《しにん》が蘇《よみがえ》るわけでも
ましてや喜《よろこ》ぶわけでもない
仇討《かたきう》ちだ弔《とむら》い合戦《がっせん》だと綺麗事《きれいごと》を言《い》ったとしてもそれは所詮《しょせん》生《い》き残《のこ》った人間《にんげん》のエゴに他《ほか》ならないし
ようは気晴《きば》らしだろう?
…僕《ぼく》は
先代達《せんだいたち》のためにファントムハイヴに戻《もど》って来《き》た訳《わけ》じゃない
僕《ぼく》のためだ
ファントムハイヴを裏切《うらぎ》り穢《けが》した人間《にんげん》に

僕《ぼく》と同《おな》じ屈辱《くつじょく》を
…痛《いた》みを
味《あじ》わわせてやりたいだけだ
チェックメイト
あちゃ〜
これで通算《つうさん》46連敗《れんぱい》だわ
あんたは昔《むかし》からこーゆーの強《つよ》くって遊《あそ》んであげてる私《わたし》が負《ま》けてばっかりだった
…ふふっ
あんたが生《う》まれた日《ひ》のこと今《いま》でもよく覚《おぼ》えてるわ
あの頃《ころ》はまだ私《わたし》も新米《しんまい》看護婦《ナース》で…お産中《さんちゅう》もオロオロしてばっかりだった

生《う》まれたあんたは小《ち》っちゃくて可愛《かわい》くって…
私《わたし》が守《まも》ってあげなくちゃって思《おも》った
私《わたし》にはとうとう子供《こども》はできなかったけど…
あんたの事《こと》本当《ほんとう》の息子《むすこ》みたいに思《おも》ってるのよ
本当《ほんとう》なら裏社会《こんなせかい》から足《あし》を洗《あら》わせたい
今僕《いまぼく》がここにいることは僕《ぼく》が望《のぞ》んだことで僕《ぼく》が選《えら》んだことだ
だから

後悔《こうかい》はしていないし
甘《あま》えてはいけない…誰《だれ》にも
トンッ
僕《ぼく》はそろそろ失礼《しつれい》する
chu
次《つぎ》は負《ま》けないわよ シエル
楽《たの》しかったマダム
ふ…
おやすみ

新《あたら》しいお茶《ちゃ》お持《も》ちしま…
あわっ?
…どうしてあの子《こ》が…
あの小《ちい》さい子《こ》が…辛《つら》くて冷《つめ》たいものを背負《せお》わなくちゃならないのかしら
主人《しゅじん》はご自分《じぶん》が決《き》められた事《こと》は必《かなら》ず全《まっと》うされる方《かた》
たとえその道《みち》のりが長《なが》く暗《くら》く…冷《つめ》たいものだとしても…
だからこそ私《わたし》は坊《ぼっ》ちゃんのお傍《そば》でお仕《つか》えすると誓《ちか》ったのです
きっと私《わたし》が止《と》めてもあの子《こ》は止《と》まることはないんでしょうね…

あの子《こ》が一番《いちばん》辛《つら》かった時《とき》に私《わたし》は傍《そば》に居《い》てあげられなかった
セバスチャン
どこの誰《だれ》とも知《し》れないアンタに頼《たの》むのもおかしいけど
どうかあの子《こ》の傍《そば》を離《はな》れないで頂戴《ちょうだい》
道《みち》をはぐれて独《ひと》りで迷《まよ》ってしまうことがないように
ええ…必《かなら》ず
最期《さいご》までお傍《そば》でお護《まも》りいたします

スッ
ザァァ…
奥様《おくさま》…？
カッ
奥様《おくさま》……
ゴロゴロ…
ザァァ…
カッ
ゴロゴロ…
ザァァァ…
ひどい夜《よる》だ
荒《あ》れそうだな…

コンコンッ
ガチャッ
…どうだ
パラ…
何度《なんど》シミュレーションしても子爵《ししゃく》以外《いがい》に一連《いちれん》の事件《じけん》に関《かか》われる人間《にんげん》はいませんね
はーっ
調査条件《ちょうさじょうけん》を変《か》えるしかないのか?
昨日《きのう》の事件《じけん》に子爵《ししゃく》は関《かか》われない!
そうですね
子爵邸《ししゃくてい》にいた人間《にんげん》には不可能《ふかのう》です
とりあえず明日《あした》は――
ピタッ

…セバスチャン…
まさか…
何度《なんど》も言《い》っているでしょう
私《わたし》は嘘《うそ》をつきません と

私《わたし》は貴方《あなた》の「力《ちから》」であり「手《て》足《あし》」であり「駒《こま》」…
全《すべ》てを決《き》め選《えら》び取《と》るのは自分《じぶん》だとその為《ため》の「力《ちから》」になれと
「あの日《ひ》」
貴方《あなた》がそう仰《おっしゃ》ったのです
私《わたし》はあくまで「執事《しつじ》」
出《で》すぎた意見《いけん》など申《もう》しません

ご主人様《あなた》に命《めい》ぜられた事《こと》と聞《き》かれた事《こと》だけを忠実《ちゅうじつ》に
スッ…
あそこに居《い》た人間《にんげん》には不可能《ふかのう》なんだな？
ええ
そうです
そういうことか…
貴様《きさま》…
フッ
貴方《あなた》の命令《めいれい》一《ひと》つで
私《わたし》は貴方《あなた》の「駒《こま》」となり
「剣《けん》」となる

さぁ…
王手《チェック》を
ご主人様《しゅじんさま》

Kuroshitsuji

黒執事《クロシツジ》

第9話
At midnight：その執事《しつじ》、邂逅《かいこう》

19世紀末《せいきまつ》——
社交期《シーズン》も終《お》わりに近《ちか》づいた頃《ころ》
英国《えいこく》を震撼《しんかん》させる連続殺人《れんぞくさつじん》事件《じけん》が起《お》こる
被害者《ひがいしゃ》になったのはいずれも娼婦《しょうふ》
全員《ぜんいん》切《き》り刻《きざ》まれ子宮《しきゅう》が奪《うば》われた姿《すがた》で発見《はっけん》された
その被害者《ひがいしゃ》の無惨《むざん》な姿《すがた》から
いつしか犯人《はんにん》はこう呼《よ》ばれるようになる
「切り裂きジャック《ジャック・ザ・リッパー》」

寒《さむ》い…
ブルッ
いくら貧民街《イーストエンド》で いつものお召《め》し物《もの》が 目立《めだ》つとはいえ
やはり その服《ふく》では お寒《さむ》いでしょう
一雨《ひとあめ》きそうですし
ええ 入《い》り口《ぐち》は あそこしか ありませんし
唯一《ゆいいつ》の通《とお》り道《みち》は ここだけですから
ここに張《は》っていれば 本当《ほんとう》に奴《やつ》は 来《く》るんだな？
目立つから 貸さんでいい。

次《つぎ》に狙《ねら》われるのはあの長屋《ながや》に住《す》むメアリ・ケリーで間違《まちが》いないな？
ええ
間違《まちが》いないと何度《なんど》もお伝《つた》えしているはずですが？
この組み合わせですでに目立ってると思いますが…
たしかに…殺《ころ》された娼婦達《しょうふたち》には「臓器《ぞうき》がない」以外《いがい》にも
「共通点《きょうつうてん》」があった
だが
奴《やつ》が殺《ころ》す必要性《ひつようせい》はどこにある？
それに僕《ぼく》は…

…っ聞《き》いてるのかセバスチャン!
まれに見る美人でしたので
ギャ
あ すみません
つい
飼わないからな!
戻しなさい!
はい…
(しぶしぶ)
かわいいのに…
ったく…
——あそこに居《い》た人間《にんげん》には不可能《ふかのう》なんだな?
ザァア…
——ええ

人間《にんげん》には不可能《ふかのう》です
そういうことか…貴様《きさま》…
クス
私《わたし》は最初《さいしょ》から何度《なんど》も本当《ほんとう》の事《こと》を申《もう》し上《あ》げていましたよ
調査結果《ちょうさけっか》にも何一《なにひと》つ嘘《うそ》はついておりません
カサ
〝医学《いがく》に関《かか》わる者《もの》〟
〝「秘密結社《ひみつけっしゃ》」や「黒魔術《くろまじゅつ》」等《など》に関《かか》わりがある者《もの》〟
そして〝事件発覚前夜《じけんはっかくぜんや》にアリバイのない者《もの》〟
この条件《じょうけん》を満《み》たす人間《にんげん》はドルイット子爵《ししゃく》だけで間違《まちが》いありません

確《たし》かにお前《まえ》は嘘《うそ》をついていなかった
だが…
調査《ちょうさ》はただの茶番《ちゃばん》だったわけだがな!
おやおや八《や》つ当《あ》たりですか?
ご命令《めいれい》でしたので
ニコ.

坊《ぼっ》ちゃんは私《わたし》が
そういうものだと
ご承知《しょうち》の上《うえ》で
お傍《そば》に置《お》かれて
いるのでは？
ぱんっ
…うるさいっ
知《し》ってる！
ニコ.
…〜ッ
はーっ
そいつは…
お前《まえ》と同《おな》じ
なのか？

いえ違《ちが》いますね
人間《にんげん》でも悪魔《あくま》でもない？
何者《なにもの》だ…そいつは
ああいった方《かた》が人間《にんげん》の世界《せかい》に居《い》る事自体《ことじたい》珍《めずら》しい事《こと》だと思《おも》いますが——
それは——

ギャアアアア
!!
なっ!?
誰《だれ》も部屋《へや》にはっ…
行《い》きましょう!
ガダダ
ダダ
ば

ピ
ピッ
いけません！
パサ
――あ

あ
ガクッ
ガク
あ
うっ
ぐ
えっ
ガクガク
ビシャ
バシャリ
ポッ
ポッ…
ポッ
ポッ…
随分《ずいぶん》と派手《はで》に
散《ち》らかしましたね
はっ
はっ
はーっ
ビシャッ
“切り裂きジャック《ジャック・ザ・リッパー》”
ーいや

グレル・サトクリフ
ち…違《ちが》います コレは…
叫《さけ》び声《ごえ》に 駆《か》けつけた時《とき》には もうっ…
もう… 何《なん》ですか?
私達《わたしたち》は唯一《ゆいいつ》の 通《とお》り道《みち》にずっと いたのですが
貴方《あなた》は一体《いったい》何処《どこ》から その袋小路《ふくろこうじ》の部屋《へや》へ 入《はい》られたのです?

・・・そのお姿《すがた》でしらばっくれるおつもりですか?
ポタッ
もういいでしょうグレルさん
…いや
「グレル・サトクリフ」さえ仮《かり》の姿《すがた》でしょうが
くだらないお芝居《しばい》はやめにしましょうよ
「グレル」さん
〝貴方《あなた》の様《よう》な方《かた》〟に人間界《こちら》でお会《あ》いするのは初《はじ》めてです
ザァァァァ
お上手《じょうず》にそれらしく振舞《ふるま》われていたじゃありませんか
お…
上手…?

ンフッ♡
そーーお？
しゅっ
そうよ
・・・アタシ女優《じょゆう》なの
それもとびきり一流《いちりゅう》よ

だけどアナタだって「セバスチャン」じゃないでしょう?
坊《ぼっ》ちゃんに頂《いただ》いた名前《なまえ》ですから
「セバスチャン」ですよ…今《いま》はね
あら忠犬《ちゅうけん》キャラなのね
色男《いろおとこ》はそれもステキだけど♡
それじゃ改《あらた》めましてセバスチャン…いえ
セバスちゃん♡
バーネット邸《てい》執事《しつじ》
グレル・サトクリフでございマス★

執事同士《しつじどうし》 どうぞヨロシク♡
おぞっ
ああ〜 やっと本当《ほんとう》の姿《すがた》で 会《あ》えた！
スッピンで色男《いろおとこ》の 前《まえ》にいるの恥《は》ずかし かったのヨ？
ンフッ
髪もダッサイ色だったシィ〜
悪魔《あくま》が執事《しつじ》 してるなんて 初《はじ》めて見《み》たから 最初《さいしょ》ビックリ しちゃったワ
それは… 貴方《あなた》も同《おな》じ でしょう？
私《わたし》も結構《けっこう》生《い》きてますが
〝貴方《あなた》の様《よう》な方《かた》〟が 「執事《しつじ》」をしているなんて 聞《き》いた事《こと》がありませんから
神《かみ》と人《ひと》との中立《ちゅうりつ》であるはずの存在《そんざい》…

死《しに》神《がみ》！

曲《ま》がりなりにも〝神《かみ》〟である貴方《あなた》が
何故《なぜ》執事《しつじ》など？
堅《かた》い事《こと》は言《い》いっこナシよ
そうね…
一人《ひとり》の女《おんな》に惚《ほ》れ込《こ》んじゃったってトコかしら
あっ…
その女《おんな》とは…
聞《き》かなくてもわかってるんでしょう
コツ…
ピクッ

セバスチャン
…マダム…
ハァッ…
計算違《けいさんちが》いだったわ
まさかグレルの正体《しょうたい》を見破《みやぶ》れる
ヤツがシエルの傍《そば》にもいた
なんてね

……
最初《さいしょ》の容疑者《ようぎしゃ》リストには
もちろん貴女《マダム》もいた
はぁ…
けれど
貴女《マダム》のアリバイは
完璧《かんぺき》だった
酷《ひど》いわね
シエル
身内《みうち》である
私《わたし》まで
疑《うたが》ってたの？
犯人《ジャック》になりえるのなら
血縁《けつえん》であろうが
知《し》り合《あ》いであろうが
関係《かんけい》ない
全《すべ》ての殺人《さつじん》に関《かか》わるには
容疑者《ようぎしゃ》リストにいた
どの人間《にんげん》にも無理《むり》だった
ザワ
もちろん
貴女《マダム》にも
ザワ

だが
人ならざる者《死神》が
共犯《きょうはん》だと言《い》うなら
話《はなし》は別《べつ》だ
僕《ぼく》らに気《き》づかれず
一瞬《いっしゅん》でメアリの部屋《へや》に
入《はい》れるのなら
The scene of the crime
RIVER
THAMES
Viscount's House
遠《とお》く離《はな》れた子爵邸《ウエストエンド》から
殺人現場《イーストエンド》まで一瞬《いっしゅん》で
移動《いどう》するのも可能《かのう》だろう
そして
パーティー会場《かいじょう》から
従者《じゅうしゃ》がほんの数分《すうふん》姿《すがた》を
消《け》そうとも
誰《だれ》も気《き》にはしない…
つまり
切《き》り裂《さ》きジャックで
ありえるのは
お前達《まえたち》しか
いない

マダム・レッド
そして
グレル・サトクリフ！
切《き》り裂《さ》きジャック事件《じけん》の被害者《ひがいしゃ》には「娼婦《しょうふ》である事《こと》」「子宮《しきゅう》がない事《こと》」以外《いがい》にも共通点《きょうつうてん》があった
ザアアア
全員《ぜんいん》がマダムが勤《つと》めるロンドン中央病院《ちゅうおうびょういん》で〝ある手術《しゅじゅつ》〟を受《う》けている
その手術《しゅじゅつ》が施《ほどこ》された患者《かんじゃ》を日付順《ひづけじゅん》にならべたものが
これだ
被害者《ひがいしゃ》の殺《ころ》された順番《じゅんばん》と手術《しゅじゅつ》を受《う》けた順番《じゅんばん》がキッチリと重《かさ》なっている

このリストに名前《なまえ》が上《あ》がっていて「残《のこ》っていた」のはその長屋《ながや》に住《す》むメアリ・ケリーだけ
張《は》っていれば貴女達《あなたたち》が現《あらわ》れると思《おも》っていた
救《すく》えは……
しなかったが…
残念《ざんねん》ねシエル
私《わたし》の可愛《かわい》い甥《おい》っ子《こ》…
私《わたし》の…姉《ねえ》さんの子《こ》…
気付《きづ》かなければまた一緒《いっしょ》にチェスが打《う》てたのに
……
だけど…

今度《こんど》は譲《ゆず》らないわ!!
…!?

なっ…!?
なっ…なんだあれは!?

死神《しにがみ》は全員《ぜんいん》魂《たましい》を狩《か》る為《ため》の道具《どうぐ》を持《も》っています
その名《な》は「死神の鎌《デスサイズ》」
あの様《よう》な形《かたち》は初《はじ》めて見《み》ますが…
「死神の鎌《デスサイズ》」は厄介《やっかい》ですね
ギャ
アタシに鎌《かま》なんてダサイ道具《どうぐ》似合《にあ》わないデショ？
アタシ用《よう》にカスタマイズしたの
魂《たましい》の断末魔《だんまつま》と最高《さいこう》のハーモニーを奏《かな》でるアタシ専用《せんよう》の「死神の鎌《デスサイズ》」！
ギャギャ
もちろん切《き》れ味《あじ》は保障《ほしょう》付《つ》きよ
ギャギャ

どんな存在《そんざい》でも
切《き》り刻《きざ》める神《アタシ》だけに
許《ゆる》された道具《どうぐ》！
ずっと大人《おとな》しく
してたから身体《からだ》が
鈍《なま》っちゃってるの
久々《ひさびさ》に激《はげ》しい
運動《うんどう》したいワ
ア・ナ・タと♡
気色悪《きしょくわる》い事《こと》
言《い》わないで
頂《いただ》けますか
それに今《いま》
勤務中《きんむちゅう》ですので
ピシャリ。
あーん
ストイック！
きゅ〜ん♡
そんなトコロがまた
たまらないわぁ
セバスちゃん♡
アタシね
セバスちゃん
赤《あか》が好《す》きなの
髪《かみ》も服《ふく》も口紅《くちべに》も
赤《あか》が一番《いちばん》好《す》き
だからブスな女共《おんなども》を
綺麗《きれい》な血《アカ》でお化粧《けしょう》して
あげるのが好《す》きよ
女《おんな》ってのは
派手《はで》なら派手《はで》な程《ほど》
毒花《どくばな》のように
美《うつく》しいデショ？

きっと色男《いろおとこ》が薔薇色《ばらいろ》に着飾《きかざ》る姿《すがた》は最高《さいこう》ヨセバスちゃん
アタシがアナタの奥《おく》まで暴《あば》いて美《うつく》しく飛《と》び散《ち》る薔薇色《ばらいろ》で派手《はで》に掻《か》き乱《みだ》してアゲルわセバスちゃん♡
死神《しにがみ》とはただ静《しず》かに死《し》に逝《ゆ》く者《もの》の魂《たましい》を狩《か》る者《もの》
執事《しつじ》とは影《かげ》の様《よう》に主人《しゅじん》に付《つ》き従《したが》う者《もの》
その両者《りょうしゃ》の美学《びがく》に反《はん》するその悪趣味《あくしゅみ》さ
反吐《へど》が出《で》ますね
ブーブー!!
アタシ ちゃんと執事《しつじ》として主人《しゅじん》のために働《はたら》いてたわよォ
お仕事中《しごとちゅう》はお化粧《けしょう》もおシャレもガマンしたしっ
呆《あき》れた…
貴方《あなた》それでも執事《しつじ》ですか?
ニィイ

これでも執《しつ》事《じ》DEATH《デス》★

——女王《じょおう》と
我《わ》が悪《あ》しき名《な》に
おいて
スル…
命令《めいれい》する！
奴《やつ》らを
狩《か》れ！
御意《イエス》
ご主人様《マイロード》

黒執事2　おわり

黒執事
Black Butler

Downstairs

KiYo

MiNe

Wakana Haduki

Akiyo Satorigi

Be sama

Kirito

Yana's Mother

*

Takeshi Kuma

*

Yana Toboso

SpecialThanks

to You!

おまけまんが

マダム・レッドの★英国淑女《レディ》講座（子爵邸に行く前のお話です）

嫌《いや》だ!!
もー、ここまで準備《じゅんび》しといて男《おとこ》らしくないわよ！
ぶらーん
その服《ふく》を持《も》って言《い》うセリフか？
まあまあ 決《き》まったものはしょうがない
時《とき》には腹《はら》をくくるのも大切《たいせつ》だよ伯爵《はくしゃく》
ちなみに我《わたし》はチャイナドレスなんか珍《めずら》しくて良《よ》いと思《おも》うんだけどどうかな？
ウチの品だけど。
劉《ラウ》…
キサマ
あらっダメよ！
英国上流階級《えいこくじょうりゅうかいきゅう》の淑女《レディ》は舞踏会《ぶとうかい》の時《とき》は上質《じょうしつ》で厚手《あつで》の絹《きぬ》のドレスって決《き》まってるんだから

そんな決《き》まりがあるのかい？
へ――っ
そりゃあるわよ
ここをドコだと思《おも》ってんの？
しきたりと決まり事の国
英国よ――
ドレスの色《いろ》は青《あお》 銀《ぎん》…
それから薄緑《ペールグリーン》なんかが主流《しゅりゅう》で
ピンクは舞踏会《ぶとうかい》の時《とき》しか着《き》ちゃいけないのよ
シエルは若《わか》いからピンクがいいわね
せっかくだし
丈《たけ》も短《みじか》くする？
若いから許されるわよ――
オホホホ
あーそりゃーかわいいやーピンク
はっはっはっ
やめんかッ
想像するな!!!
枢注：あんまりにかわいそうなので（シエルが/笑）没になったミニ丈ドレス案。でもココでさらす。

それだけではありませんよ
家庭教師モード
どんな舞踏会《ぶとうかい》も初《はじ》めは“カドリール”という曲《きょく》で始《はじ》まります
そして次《つぎ》に“ワルツ”です
曲《きょく》は大体《だいたい》18曲《きょく》から24曲《きょく》
ペラ
ペラ
まーそんなもんやー
曲目《きょくもく》はおそらく7曲《きょく》がカドリールそのうち3曲《きょく》がランサーズ
ペラ
ペラ
次《つぎ》にワルツが7曲《きょく》円舞曲《ガロップ》が4曲《きょく》そしてポルカ1曲《きょく》という処《ところ》が妥当《だとう》です
あとは主催の好きずきですが…
ペラ
つまり! 以前《いぜん》付《つ》け焼《や》き刃《ば》で覚《おぼ》えて頂《いただ》いたワルツだけでは一晩《ひとばん》乗《の》り切《き》れません
しかも男女でステップが逆!!
うっ…

昔《むかし》はワルツがふしだらと
言《い》われていましたが
男女が密着しますから
今《いま》や女王《じょおう》のお陰《かげ》でワルツはメイン級《きゅう》のダンス
この間《あいだ》の様《よう》なステップでは子爵《ししゃく》を誘惑《ゆうわく》できませんよ
ゆっ…!?
私なら願い下げです。
話《はな》し方《かた》に歩《ある》き方《かた》ダンスや仕草《しぐさ》や誘惑《ゆうわく》の仕方《しかた》まで
にーっ
家庭教師《わたし》とマダムが一日《いちにち》でみっちり体《からだ》に叩《たた》き込《こ》んで差《さ》し上《あ》げますよ
お嬢様《じょうさま》…?
じりっ
いっ…
はっはっはっ
じりっ…
いっ…
いやだぁあぁあ
大声を出さない!
くびれがない!!
ピシーッ
かくしてシエルは一流《いちりゅう》の(?)淑女《レディ》となったのだった
おわり。

次巻
執事VS執事
ハッ
……
ハッ…
セバスチャン…？
激突!!

黒執事　第3巻

2007年冬発売決定!!

黒執事の階段下 II
DANGER!
この先は本編のネタバレを含みます!
こんにちは…
柩《ひつぎ》でも棺《ひつぎ》でも樞《とぼそ》でもなく
枢《とぼそ》やなです。
悪
"最近とてもよく"柩さん"と間違えられますが…
中《ちゅう》枢《すう》神《しん》経《けい》の"枢"です。
覚えてネ!
柩のはか
柩に入るにはまだ早いです。
ハァハァ
なーんて話を担当K氏にしたら…
HAHAHA
枢なんて分かりづらい名前つけるからだよ!
本当ネーミングセンスないな
K
などと言われたので…
なにおうッ!?
Kさんだってこのマンガが「黒執事」って決まるまでスゲータイトル生産しまくってたじゃねーか!!
悪
証拠のメールとってあんだからな!!
バラしてやる!!
というわけで「実録★黒執事ができるまで」
～抱腹絶倒の没タイトル編～

案その1
執事＝《は》奴隷のようなもの
まあそんなもんだが
明らかにヤング向けじゃない!!
何のマンガか!!?
案その2
執事に堕ちぶれて
おちぶれ…
最初から落ちぶれちゃイカンだろ!!
上と同じ系統!!?
案その3
蟲ケラ執事
わーいクワガター
人間のクズみたいな性格だから
ヒドイ→
何で虫なの?
最早何のマンガかわからん。
他にも
・汚れ執事
・破滅執事
・御執事様 等…
濃ゆいタイトルがいっぱい。
最近のヒット作は「ヴェルヴェットの森で享楽に溺れて…」と「グレル、グレて。?」です。
何のマンガだマジで
Gファンタジー
Gファンタジー
雑誌掲載時のアオリ文もK氏作。センスあります。
よかったらGファンタジーも見てネ！
担当氏から分かるように枢のまわりの人はわりと濃ゆいです。
君に言われたくないよ…
そんなワケで

うちのアシスタントさん達もやソと濃ゆいです。
マダムヘアー
三人中三人がだぜっ
左きき
みんな柩のわがままに付き合ってくれるいい人達です！
たとえばこんな話。
柩はお洋服が好きです。
描くのも着るのも。
坊ちゃんが主な犠牲者。
今んとこ一回も同じデザインの服を着ていない
服の柄とか、グレーっぽい所に貼るシートの事
人物には結構たくさんトーンの指定が入ソます。
メンドくさかろうが貼る。
7話の修羅場の事…
〆切まで時間がなく皆で慌ててトーンを貼っていました。
やばい
やばい!!
母
そんな時アシのHちゃんが…
やなさん やなさん!!
この…子爵《こしゃく》の服は何貼ソますか!?
何か貼らないと！
ゲンコ
子爵
こしゃく。。。っ？
こしゃくな!!
ぶわっ
全員でひとしきソ爆笑した後
←ひどい
職場ではドルイット子爵はあだ名が「こしゃく」に…。
今だにこしゃく。
ホントドルイットはこしゃくだなー
ひど…
本当こしゃくですな
ハハハ
アハハ
母

まあ伯爵とか男爵とかはメジャーですが、子爵なんてマイナー(ファン)ですからね。
現代日本ではほとんど耳にしませんし
うわーんっ
そんなに何度も言わなくても!!!
ドルイット
こしゃくかーアーいいい
こしゃくがかわいーなHちゃんは
しかも単行本でまでバラす鬼のような作家く.枢
(私も含め)
みんな十九世紀末初心者勉強しつつがんばってます。
メなまぎゅ
ヴィクトリアンはスキマが許されんらしいぞ!!!
夏の暖炉って植木とか飾るモンなんだって!!
社交期って夏だ!.
修正して——!!
なっ何だって——!!?
描いちゃいましたよオオオ
Victorian
K
H
ちょっとしたネタをするたびに資料が増える一方です…
倍以上に増えました。
重いよー
デカいよー
高いよー
イギリスの詩集とかも読みます。
スゴイ柄じゃないんスけど一応ね。
どこに生かされてんだって言われそうなおバカマンガですが
まあファンタジーですから。
とか言っちゃオシマイだ。
そんな楽しい職場にある時一本の電話が。
プルルーン
ケータイ
はいもしもーし
何スかー
ドラマCD化するよ!
マジか!!!
ちょっと——きいてる——?

そんなわけで黒執事
なんとドラマCD化!!
フロンティアワークスさんから発売決定!!!
シナリオ
シナリオ
マンガとは違う新しい黒執事の世界!!
せっかくなので読者の皆様にも一緒に作って頂こうという事で声優さんやストーリーのアンケートもしました。
じゃあアンケートしようか！
おおッいいですねー
ご参加下さった皆様ありがとうございました!!
皆さんのアンケートを元にフロンティアワークスさんが声優さんのサンプルCDを作って下さり
ありがとうございます！
よろしくお願いします!!
フロンティアワークスさん
その中から仕事場の皆で声優さんを決めさせて頂きました!!
そしてシナリオがやって来て担当氏とチェック
ゆ〜
黒執事 第一稿
シナリオできましたヨー
何だか自分のマンガがシナリオになるのはこそばゆいかんじ。
そしてここでも担当K氏がやってくれました。
ドラマCDだから音ならではの演出とか欲しくない？
K
シナリオ。

た…たとえば？
そうだな……
ムーン
テーブルクロス引きのシーンを…
※1話
セバスがこぼれたワイン全力ですすする音に変えるとか？
真剣。
ズズーズズーーージュルジ
音ならではの演出中
ズズーーーーッ
ズビズバ
やめましょう！やめましょう!!!
ズズ
ジュ
ズー
ばばば
ドラマCDのセバスはかっこイイんだからァァ
いいと思ったんだけどナー
森川さんに何させる気ですか!!
セバスチャン役：森川智之さん
何て事もありつつCDはステキな仕上がりになりそうです！
本編にないセリフもあったり。私的聴きドコロはセバスチャンのおしゃぶり発言かと
(担当案)
そんなこんなで次は3巻!!
またお会いできる事を祈って！

君を奪う
運命を
ブッ飛ばしに！
吸血鬼と人間が共存する世界。
吸血鬼の能力を持たないアルは、
人間の少年・ケイと出会う。
そしてアルは知ることになる、
ケイの体に隠された秘密と、
この世界の綻びを──。
枢やなが描く
ヴァンパイア・アクションストーリー!!
RustBlaster
ラストブラスター
B6判 定価600円（税込み）
全1巻大好評発売中!!
枢やな

黒執事

クロシツジ

2

2007年８月27日　初版発行
2010年６月15日　20刷発行

著者
枢　やな

発行人
田口浩司

発行所
株式会社スクウェア・エニックス
〒151-8544　東京都渋谷区代々木3-22-7　新宿文化クイントビル3階
〈編集〉TEL 03（5333）0849　〈販売・営業〉TEL 03（5333）0832　FAX 03（5352）6464

印刷所
図書印刷株式会社

装幀
中川勇一（KINEMA MOON Graphics）

初出／月刊Gファンタジー平成19年2月号〜6月号

ISBN978-4-7575-2063-9 C9979
Printed in Japan